AVEZ-VOUS
LE GOÛT
DE VIVRE?

Données de catalogage avant publication (Canada)

Jalbert, Catherine

Avez-vous le goût de vivre?

(Collection Nouvel âge)

ISBN 2-7640-0525-3

1. Rêves – Interprétation.   2. Symbolisme (Psychologie).   3. Confiance en soi.   I. Titre.   II. Collection.

BF1092.J34 2001   154.6'34   C2001-940073-X

LES ÉDITIONS QUEBECOR
7, chemin Bates
Outremont (Québec)
H2V 1A6
Tél.: (514) 270-1746

©2001, Les Éditions Quebecor
Bibliothèque nationale du Québec
Bibliothèque nationale du Canada

Éditeur: Jacques Simard
Coordonnatrice de la production: Dianne Rioux
Conception de la couverture: Bernard Langlois
Illustration de la couverture: œuvre de l'auteure
Photo de l'auteure: Pierre Simard
Révision: Sylvie Massariol
Correction d'épreuves: Jocelyne Cormier
Infographie: Claude Bergeron

Nous reconnaissons l'aide financière du gouvernement du Canada par l'entremise du Programme d'Aide au Développement de l'Industrie de l'Édition pour nos activités d'édition.

Gouvernement du Québec – Programme de crédit d'impôt pour l'édition de livres – Gestion SODEC.

AVEZ-VOUS LE GOÛT DE VIVRE?

Catherine Jalbert

LES ÉDITIONS
Quebecor

À mes parents,
qui, parce qu'ils ont été
ce qu'ils sont,
m'ont permis de devenir
qui je suis.

MERCI INFINIMENT !

C'est un M, un E, un R... C'est un C avec un I...

C'est ainsi que, jeune, j'ai appris à dire merci et c'est ainsi que je veux m'exprimer aujourd'hui.

Je veux dire merci en chantant !

Merci... À mon éditeur, Jacques Simard, qui, malgré les délais que la maladie m'a imposés, a patiemment attendu le manuscrit de ce livre que vous avez aujourd'hui entre les mains.

Merci... Aux membres âgés de l'Union des artistes, qui ont su créer le filet de sécurité qui m'a permis de guérir à l'abri des insécurités matérielles.

Merci... À Louis, pour les mêmes raisons.

Merci... À Pierre Curzi, à Louis-Georges Girard, à Vincent Graton, à Lise LeBel, à Raymond Legault, à Katerine Mousseau, à Rychard Thériault, mes confrères et consœurs de travail, ces amis chers à mon cœur, pour avoir respecté mon atterrissage en douceur après un tel choc.

Merci... À tous mes amis et à toutes mes amies de cœur et d'esprit qui m'ont assidûment témoigné un amour sans lequel je n'aurais pu guérir et sans lequel il me serait aujourd'hui impossible de vivre.

Merci... Aux pleurines, à Nicole, à Pauline et à Vincent, pour les mêmes raisons.

Merci... À mes enfants et à mes petits-enfants, qui ont osé, malgré cette maladie, continuer de vivre leur vie.

Merci... À mes parents, à mes frères et sœurs, qui se sont faits plus présents.

Merci... À Carolle, qui m'a souvent sauvé la mèche quand j'étais aux prises avec cette technologie de l'informatique qui me dépasse encore.

Merci... À Louiselle et à France pour les mêmes raisons.

Merci... À Maritée, qui, par son exemple et nos partages, m'a mise sur la piste de l'analyse de mes rêves.

Merci... À tous ceux et à toutes celles qui, en m'exprimant leur plaisir de me lire, m'ont à nouveau donné le goût d'écrire.

PRÉFACE

Les impressions d'une amie

Toutes les femmes pourraient raconter leurs propres expériences à travers chacun des chapitres de ce livre et il en ressortirait les mêmes constats, les mêmes observations, les mêmes questionnements, les mêmes peurs et les mêmes prises de conscience. OUI, j'en suis sûre, toutes pourraient s'y reconnaître.

Je n'ai pas eu de cancer, mais à cette lecture de toi, je me rends compte que je l'ai échappé belle, car je ne suis pas loin d'avoir fait tout ce qu'il faut pour m'en « attirer » un. Prendre le temps de s'arrêter et de se reconnaître ; oser se faire passer en premier et être à l'écoute de ses besoins ; s'aimer, s'aimer profondément et surtout s'accepter tel que l'on est ; prendre le risque de faire les bons gestes et d'entreprendre les actions nécessaires à la réalisation de ses rêves ; reconnaître ce qui nous touche et ce qui nous passionne, voilà les chemins à prendre pour atteindre la liberté de cœur et d'esprit.

Je trouve fantastique cette utilisation des rêves pour expliquer comment ton âme s'y prend pour t'apporter toutes les réponses. J'aime ton humour. J'aime cette façon de dialoguer avec toi-même. Tout au long du livre, j'ai eu l'impression d'être assise en tête-à-tête avec toi. OUI, tout cela m'a beaucoup plu.

Je fais le vœu ou, plutôt, je prends la décision de me reconnaître telle que je suis avec mes forces et mes faiblesses et de dire OUI à l'Univers, OUI à la vie, OUI au bonheur, OUI à l'abondance, OUI à l'amour, OUI à la tendresse, OUI à l'ouverture de ma conscience.

Voilà toute la lumière qui me pénètre après la lecture de cette merveilleuse aventure de ta vie que tu oses volontiers nous partager.

Merci, Catherine, d'écouter cette poussée intérieure.

Merci de nous raconter ce voyage.

Merci de nous faire partager cette mutation.

Merci de me permettre de retrouver le chemin de la communication avec mon âme.

Merci de ta générosité.

Ton amie Carolle

AVANT-PROPOS

Pour la suite des choses...

On m'a souvent demandé un livre sur l'analyse des rêves ; eh bien, ce livre, le voici ! Il n'est sans doute pas celui que vous attendiez, mais il est sûrement celui qui me ressemble le plus. Vous serez à même de constater au fil de ces pages que mes rêves ont été de précieux guides sur le sentier de la reconnaissance de qui je suis et de la guérison. D'ailleurs, en voici un exemple. Un an avant l'apparition du cancer, j'ai rêvé au titre d'un ouvrage que je devais écrire. Ce titre était *Au milieu de ma vie, comme au centre de moi-même*. J'ai un moment cru que le présent livre s'intitulerait ainsi, mais j'ai vite compris que mon rêve, par le titre qu'il me livrait, m'indiquait plutôt la façon dont je devais le rédiger.

C'est donc en jetant un regard au centre de moi-même que j'ai pu faire le bilan de 50 ans de vie et qu'a pu naître *Avez-vous le goût de vivre ?* J'aurais pu l'intituler *Toujours à la recherche de l'équilibre* parce que ce voyage intérieur m'a permis de résoudre mes dualités et d'équilibrer mes contraires. J'aurais pu l'intituler *L'éloge du négatif* parce que cette intériorisation m'a permis d'amener à ma conscience toutes les émotions négatives refoulées et profondément enfouies depuis une éternité. Mais j'ai préféré à tout cela *Avez-vous le goût de vivre ?* parce que je me suis tant de fois posé la question au cours des premiers mois de la maladie, parce que j'ai souvent posé la question autour de moi et, surtout, parce que j'ai trop souvent entendu une réponse de doute, quand elle n'était pas carrément négative. J'ai choisi *Avez-vous le goût de vivre?* parce qu'au bout de ce pèlerinage, j'ai répondu OUI et que ce OUI à la vie m'a fait renaître à moi-même et m'a donné la possibilité de vivre une deuxième vie dans cette vie-ci.

Puisse ce pèlerinage vous inspirer!

Avez-vous le goût de vivre? s'inscrit dans le sillon de mon premier livre *Ouvrir sa conscience*. Il parle encore de moi, mais il descend plus profondément au cœur des choses, et comme il se fait plus profond, il va nécessairement plus loin. Le premier livrait connaissances et pratiques; le second livre émotions et intégrations. Le premier traitait de l'ouverture de la conscience individuelle pour amener à l'ouverture de la conscience sociale; le second traite de l'approfondissement de la conscience individuelle pour amener à l'ouverture de la conscience planétaire.

Ai-je le goût de vivre?

OUI! J'ai le goût de vivre... pour la suite des choses!

PREMIÈRE PARTIE

DU CHOC
À LA
COMPRÉHENSION

MAMAN, J'AI PEUR !

Mercredi 3 juin 1998

Dans moins de 24 heures, je saurai... Dans moins de 24 heures, on me dira... On me dira quoi, au juste ? Je m'entends penser et je n'ose formuler ce que je pense tellement j'ai horreur d'avouer que l'annonce de l'inéluctable pourrait quelque part faire mon affaire. En même temps, je sais que j'ai cette pensée parce que je suis fatiguée, si fatiguée, tellement fatiguée !

Se peut-il que j'aie enfin le temps de m'asseoir, de réfléchir, d'écrire, de créer, de peindre, de prier, de regarder le temps passer ? Se peut-il que j'aie enfin une bonne — bonne, c'est relatif ! — raison d'arrêter ? Faut-il à ce point avoir perdu le contact avec soi-même, à ce point être à bout de ressources pour croire que lutter contre le cancer — voilà ! le mot est lâché — peut donner un sens à sa vie ? Mais je n'y peux rien, c'est ainsi que je pense aujourd'hui, le 3 juin 1998.

Je suis épuisée, vidée, lasse et sans force. Je suis là, à attendre une réponse que je veux et ne veux pas entendre. Cette longue attente est meublée d'un fatras incohérent de pensées qui me rappellent sans cesse mon passé. J'ai mal à mes souvenirs oubliés. J'ai mal à mes émotions refoulées. J'ai mal au cœur ! Je fais une indigestion de mauvais souvenirs. Une indigestion d'émotions qui, enfouies au plus profond de mon être, parviennent massivement à ma conscience. Ça se déroule vite, très vite. C'est ahurissant. J'ai mal au cœur ! J'ai envie de vomir ! Je ressens des émotions sans arriver à m'attacher à aucune d'elles. Je vois passer ces souvenirs avec l'impression qu'ils appartiennent à quelqu'un d'autre... Et pourtant, tout ce cinéma, c'est ma vie !

Comme il est retors d'avoir follement vécu toutes ces années avec toujours, à l'intérieur de soi, une petite voix qui répétait sans cesse : « *Catherine, pourquoi toute cette agitation ? À quoi tout cela sert-il ? Où vas-tu ainsi ?* » Mais la vie a continué et continue encore et si vite qu'il y a longtemps que je ne sais plus comment m'arrêter. « *Catherine, pourquoi as-tu voulu tenir le coup si longtemps ? Pourquoi ne t'es-tu pas arrêtée avant aujourd'hui ?* » Depuis cinq ans déjà, je répète : à 50 ans, je prends une année sabbatique. J'ai 51 ans bien sonnés et toutes les raisons ont été bonnes pour remettre à plus tard ce moment tant désiré. « *Catherine, crois-tu qu'à ne pas avoir su t'arrêter, tu aies espéré que la vie t'arrête ou, pis encore, que la vie s'arrête ?* » Mais c'est horrible ce que je viens de m'entendre penser. J'ai la frousse, j'ai des sueurs froides, je crains d'avoir enclenché un processus de mort. J'ai peur ! « *Alors, Catherine, as-tu assez peur maintenant ? As-tu assez la frousse pour t'arrêter ? Arrête aujourd'hui même, il le faut. Rappelle-toi le rêve de cette nuit, il y faisait clairement allusion.* »

Rêve de la nuit du 3 juin 1998

L'HOMME À LA CHARRETTE

J'essaie de monter une côte avec ma voiture, mais celle-ci n'a aucun pouvoir. Je décide de reculer, j'ai du pouvoir, mais la voiture est très difficile à contrôler. Ça va vite et n'importe où. Je décide alors de descendre complètement la côte en marche arrière et d'emprunter la voie de desserte. Je dois alors laisser passer une charrette qui désire monter cette voie de desserte et dans laquelle un vieil homme guide deux chevaux, l'un beige et l'autre brun. Il avance lentement, sûrement et sereinement. Il me semble heureux et j'en suis émue.

Il n'est pas très sorcier de tirer une conclusion de ce rêve. Si je veux continuer à avancer et à évoluer, je dois m'y prendre autrement ; car ainsi que je l'ai fait ces dernières années, je n'ai plus aucun pouvoir. La perte de contrôle de la voiture en est le symbole. Pour continuer à évoluer (monter la côte y fait référence), je dois revenir en arrière et suivre une voie qui me permette de prendre mon temps. Prendre la voie de desserte, quoi ! Je dois mettre au premier plan, et les traiter avec un égal intérêt, mes pulsions d'ombre et de lumière (les chevaux et leurs différentes couleurs y réfèrent). Mes fortes envies de liberté et les profondes sensations que j'éprouve d'être prisonnière de ma propre vie sont les deux pôles émotifs qui prennent la plus grande place dans ma réalité d'aujourd'hui. Je dois prendre conscience de cette dualité, liberté/responsabilité, tenter d'harmoniser ces contraires, retrouver mon équilibre et me laisser guider par le vieux sage en moi... Hum ! facile à dire, mais pas si facile à faire ! *« Vas-tu le faire, Catherine ? Vas-tu enfin passer à l'action ? »*

Jeudi 4 juin 1998

À l'hôpital, assise dans le corridor de la porte 17, celle du chirurgien oto-rhino-laryngologiste, j'attends. Impossible de me concentrer sur quoi que ce soit ; la lecture, les gens qui passent, la conversation des deux patientes assises près de moi n'arrivent en rien à m'intéresser. Je suis là sans être là, témoin même de l'attente dans laquelle je suis.

Il y aura une semaine demain que j'ai subi une exérèse d'un ganglion du cou. Aujourd'hui, afin de contrer l'attente, je me suis transformée bien inconsciemment en témoin de l'événement. Je suis à l'extérieur de mon corps, je ne m'approprie aucune émotion, peur et anxiété n'ont aucune prise... je suis là sans être là. Pourquoi suis-je dans cet état ?

Les Perrault, Hamel, Blanchet sont appelés tour à tour. Chaque fois, je refais surface et je prends conscience que j'existe... Je suis là, moi aussi, à attendre qu'on prononce mon nom.

— Madame Caron ?

C'est mon nom de fille ! Pour tout vous dire, je porte le nom de ma mère. Pourquoi ? Parce que ça sonne tout simplement mieux à l'oreille.

La torpeur dans laquelle je suis me donne l'air calme. Je me lève lentement, j'entre lentement, j'attends qu'on m'invite à m'asseoir. Je ne me reconnais pas.

— Bonjour, Madame Caron. Assoyez-vous.

Je m'assois et j'attends.

— Vous n'avez pas eu trop de difficultés cette semaine ?

— Trop de difficultés ?

— Avec le pansement... les points ?

Je me rappelle soudain pourquoi je suis là. Au diable les points...

— Docteur, quels sont les résultats ?

— Quels résultats ?

— De la biopsie, docteur...

Il consulte le dossier, aucun rapport.

— Je vais enlever vos points et changer le pansement pendant qu'on demande les résultats au labo.

J'ai réintégré mon corps, la torpeur m'a quittée. J'enrage, je veux savoir. Je n'en peux plus d'attendre.

— Tout est beau, retournez vous asseoir, on vous rappellera à l'arrivée des résultats.

Je me sens flouée, fébrile et en colère. Je me rassois. Impossible de recréer la torpeur de tout à l'heure. L'attente est insupportable. Elle ne sera heureusement pas longue. Peu de temps après, l'assistante du chirurgien passe avec un dossier et m'invite à la suivre. J'entre à nouveau dans le bureau. Un lourd silence accompagne ma fébrilité et la consultation du dossier par le médecin. Les quelques minutes qui s'écoulent ont des allures d'éternité. Il lève les yeux vers moi.

— Hum ! c'est lymphomateux, Madame, me dit-il, non sans émotion.

— Qu'est-ce que ça veut dire lymphomateux, docteur ?

— Cancéreux, Madame. Vous devriez voir votre oncologue, il vous expliquera mieux que moi.

— Mais je ne le vois que mercredi prochain et on est aujourd'hui jeudi. Je fais quoi en attendant ?

— Essayez de le voir plus tôt, ce serait préférable.

— Merci, docteur.

Trois minutes et quart plus tard, l'adrénaline est au rendez-vous. Je reconnais bien là ma nature de battante. C'est facile... On enfouit ses émotions, on devient rationnelle et le tour est joué. Très efficace, la méthode, ne trouvez-vous pas ? C'est munie de cette armure que je me balade entre le 1er, le 4e et de nouveau le 1er étage de l'hôpital, et entre les portes 16 et 17 de la consultation externe. Je me sens comme dans *Les douze travaux d'Astérix* et ça me fait sourire... Comment peut-on sourire dans un moment pareil ? Cette course entre la secrétaire en hémato, l'infirmière en oto-rhino et l'assistante en onco m'offre une possibilité de rendez-vous le lendemain, le tout à confirmer.

— Rentrez chez vous, Madame. On vous rappellera cet après-midi.

Soudain, les émotions refont surface. Je suis sciée en deux ! Une seule pensée m'habite... J'AI LE CANCER !

J'avance lentement, un immense sentiment d'impuissance m'est tombé dessus... J'AI LE CANCER !

Quelle idée ai-je eue de venir ici toute seule... J'AI LE CANCER !

Je fais quoi, moi là ?... J'AI LE CANCER !

Ah oui, rentrer chez moi... J'AI LE CANCER !

Impossible d'être témoin de l'événement, je suis en plein dedans... J'AI LE CANCER !

Ma vie bascule, combien de temps me reste-t-il à vivre ?... J'AI LE CANCER !

« Eh, oui ! Tu as le cancer, Catherine. Mais ta vie ne bascule pas aujourd'hui, elle a basculé bien avant, souviens-toi ! »

Vendredi 5 juin 1998

Hier, je suis rentrée chez moi sur le pilote automatique. Bien vite, mes sœurs sont arrivées. Nous étions trois à ne pas y croire. Trois à nous poser des questions sans réponses. Trois à imaginer le scénario du pire et du meilleur. Trois démunies. Trois impuissantes devant une réalité que l'on ne voudrait jamais avoir à vivre. C'est pendant cet après-midi chargé à bloc d'émotions de toutes sortes que j'ai reçu confirmation du rendez-vous auquel je me présente maintenant, seule.

L'oncologue, conscient de la situation, me reçoit en dehors des heures normales de consultation. Il m'informe du cancer dont je suis atteinte. Un lymphome dont le type n'est pas encore déterminé. Me dit que c'est incurable, mais vivable parfois longtemps, quand la chimiothérapie amène la rémission. Cite qu'il a déjà eu un cas avec 14 années consécutives de rémission et ajoute même que certains malades sont décédés d'une autre cause que de ce cancer. Fait un prélèvement de moelle osseuse afin de la conserver congelée si l'analyse révèle qu'elle est intacte, car celle-ci pourrait être utile au cas où, un jour, une récidive amènerait le besoin d'une greffe. Me précise que ce lymphome dont je suis atteinte est à évolution lente et que, par conséquent, on peut attendre d'avoir tous les résultats pour traiter. Me donne un rendez-vous pour la semaine suivante et m'enjoint de ne pas revenir seule.

— Docteur, est-ce la raison pour laquelle je me sens si fatiguée depuis plusieurs mois ?

— Pas à proprement parler. La fatigue vient beaucoup plus avec les traitements et, là encore, ça dépend du type de traitement. Par contre, cette fatigue dont vous me parlez pourrait peut-être provenir de votre cœur qui s'est démené pendant plusieurs mois pour vous garder fonctionnelle malgré la maladie. D'ailleurs, ne m'avez-vous pas dit avoir eu quelques problèmes liés au cœur depuis le mois de janvier ? Votre fatigue pourrait aussi être le résultat d'un surmenage. Jetez un œil sur les derniers mois et les dernières années qui viennent de s'écouler pour vous aider à comprendre cette fatigue.

« Il n'a que trop raison et tu le sais, n'est-ce pas, Catherine ? L'exercice n'est pas difficile à faire. Mais fais-le quand même et tu verras que, depuis belle lurette, ta vie n'a été qu'un feu roulant. »

— Dans ce cas, pouvez-vous m'orienter vers quelqu'un pour ce problème ?

— On reparlera de tout cela la semaine prochaine. Ne vous en faites pas, si je pouvais choisir un cancer, c'est celui-là que je voudrais avoir. C'est la Cadillac des cancers !

ÇA ME FAIT UNE BELLE JAMBE ! J'EN AI RIEN À FOUTRE DE LA CADILLAC DES CANCERS. J'AI LE CANCER TOUT DE MÊME !

— On doit attendre les résultats complets de l'analyse, mais je peux vous dire qu'en ce qui concerne la chimio, elle sera douce, c'est-à-dire qu'au lieu d'utiliser le camion, nous utiliserons la bicyclette.

— Je ne vois pas trop ce que vous voulez dire, docteur. Souffrirai-je ? Aurai-je des effets secondaires ?

— En principe, pas de souffrance comme telle, quoiqu'on ne sache jamais comment un patient peut réagir, mais un impact direct sur les globules blancs et les lymphocytes responsables du combat contre les infections, les virus, etc., sur la formule sanguine, quoi ! Mais, encore là, chaque patient réagit à sa manière. Hum... je vais aussi demander une analyse pour le dépistage du... VIH.

AH NON ! PAS UNE AUTRE PEUR, PAS UNE AUTRE ATTENTE, ÇA M'ÉCŒURE !

— Vaut mieux, docteur. Vous avez raison.

« Comme tu es raisonnable, Catherine. Pourquoi ne fais-tu pas une crise de nerfs, ici, maintenant ? Pourquoi ne fais-tu pas sortir le trop-plein ? Pourquoi n'exprimes-tu pas vraiment ce que tu ressens ? »

Même si le médecin a pris tout son temps pour m'expliquer, la consultation n'a pas duré plus de 30 minutes. Tout va trop vite et, en même temps, pas assez. Je ne sais plus ce que je veux. Je suis dans la rue avec encore une tonne de questions sans réponses... Penser de prendre des notes la prochaine fois... J'AI LE CANCER, LÀ, C'EST VRAI ! MERDE ! Pourquoi le cancer ? Pourquoi moi ? Il y a sûrement une raison, je veux la trouver. Je vais la trouver.

Tout se bouscule dans ma tête. Par où commencer ? Quoi arrêter ? Dois-je désespérer et m'écraser ? Ou alors me relever les manches et combattre ? Si je me retrouve dans cette merde, c'est parce que j'ai agi d'une certaine façon. Me faut-il donc agir autrement maintenant ? Mais alors, comme j'ai toujours été combative, positive, courageuse, cela veut-il dire que je doive me laisser aller et ne plus combattre ? Mais je vais déprimer, c'est certain ! « *Oui, ma belle, tu vas déprimer, pis après ?* » Non, je ne veux pas déprimer, jamais !

Tout se bouscule dans ma tête. Difficile d'arrêter les pensées qui m'assaillent et pourtant, il le faudra bien... La vie continue ! Je ne m'en rends que trop bien compte et là est toute la question. Combien de temps la vie continuera-t-elle ? Comment continuera-t-elle ? Quoi faire du temps qui reste ? D'abord arrêter cette pensée... J'AI LE CANCER !... qui n'en finit plus de m'obséder et de m'attacher à la peur et à l'angoisse... J'AI LE CANCER !

Tout se bouscule dans ma tête, je n'arrive plus à organiser mes pensées. Je ne suis plus capable de réfléchir, le choc émotif est énorme. Je deviens lente, je suis dédoublée, je ressens des émotions et je me regarde les vivre. Ma tête passe son temps à dire « J'AI LE CANCER ! ». Mais Catherine continue d'exister lentement, comme dans un film au ralenti.

Pendant les deux semaines au cours desquelles j'attends les conclusions des analyses, la nouvelle se répand comme une traînée de poudre dans mon entourage familial, amical et professionnel. Le téléphone ne dérougit pas, des lettres m'arrivent, des cadeaux me sont offerts, la vie est généreuse avec moi, comme autant de manifestations d'amour, de tendresse, d'affection et d'amitié, plus en 15 jours qu'il ne me semble dans toute ma vie. J'ai le cœur gros. Je pleure sans cesse.

J'éprouve une émotion de gratitude envers cet amour manifesté qui me donne l'énergie de continuer. Étouffée par tant d'attention, je pleure. Je pleure sans arrêt, comme depuis longtemps je n'ai pas pleuré.

Je ne m'attarderai pas longtemps sur les « Je ne croyais pas que cela pouvait t'arriver à toi ! » ni aux « C'est bien pour dire, cordonnier mal chaussé ! » que certaines personnes bien intentionnées ont cru bon de me glisser. On m'a imaginée parfaite et, aujourd'hui, on me découvre des failles. Croyez-moi, je n'ai fait aucune fausse représentation, on m'a mise, bien malgré moi, sur ce piédestal. Toutes ces années, je n'ai été, dans cette incessante recherche d'équilibre, que moi-même, toujours moi-même, rien que moi-même. Je suis allée, avec passion et en toute bonne foi, au bout de ce que je croyais devoir être et faire.

Des rêves de chicanes et de conflits meublent mes nuits. Les rêves dans lesquels je suis en colère, et où je revendique mes droits, sont légion. Je rêve de manque d'amour, de rejet et de communications difficiles. Vieux stock refoulé ? Frustrations présentes et passées ? Prises de conscience à faire ? Toujours est-il que, même si je ne me souviens, à peu de choses près, que de ces fortes émotions dans les rêves qui ont peuplé mes dernières nuits, je sais qu'un grand ménage inconscient est en train de se faire. Et qu'il sera bientôt temps pour moi de passer à l'action.

Rêve de la nuit du 9 juin 1998

Parlant de ménage

Je rêve que je fais le ménage chez moi, un chez-moi que je ne connais pas. Après avoir constaté que ma femme de ménage ne passait pas derrière les meubles et, surtout, derrière la télévision, je décide d'en faire une partie pour lui montrer que ce n'est pas si long que ça à faire. Je me retrouve donc avec le balai ; l'éclairage est mauvais et je découvre plein de livres derrière les meubles. Pendant ce temps, ma femme de ménage se repose dans un hamac et ma fille me dit que je m'y prends mal. Je lui réponds que ça n'est que provisoire et que j'ai l'intention d'y revenir. Ma fille me dit que tout doit être mieux fait et maintenant.

Ayoye, la conclusion ! Je dois faire connaissance avec la partie de moi que je ne connais pas (symbolisée dans le rêve par un chez-moi que je ne connais pas). Personne d'autre que moi ne peut faire ce travail de reconnaissance (la femme de ménage qui se prélasse dans le hamac y fait référence). C'est à moi de faire le ménage. Je dois trouver les bons outils et les bonnes conditions pour réussir, comme dans le rêve. Je ne dois pas faire ce ménage en surface ni attendre au lendemain ; mais bien passer à l'action dès aujourd'hui, ainsi que ma fille le dit dans le rêve. Il n'est pas question pour l'instant de continuer à exercer mon métier public, mais il me faut plutôt être derrière (comme derrière la télévision du rêve). Il me faut aussi retrouver mes connaissances (les livres y font référence) et faire le tri là-dedans. De plus, je dois retourner à ma nature de jeune fille (symbolisée par ma fille) et refaire le chemin parcouru pour qu'ainsi je voie tout ce qui a échappé à mon attention pendant que je me laissais emporter par le tourbillon de la vie. Et, finalement, je prends conscience que ça peut ne pas être facile, que je peux être malhabile, que j'aurai peut-être besoin d'aide et que ça risque d'être long... Merci beaucoup pour le beau programme !

Me voici donc dans le total questionnement ! Par où commencer tout ce beau travail ? Comme j'ai toujours eu confiance en mon intuition, je tente de laisser émerger une première pensée, comme une piste à suivre pour entreprendre le travail de retour sur moi. Oh là là ! Quelle pensée me vient à l'esprit ? J'ose à peine l'entendre et encore moins l'écrire, mais puisqu'il le faut, la voici : « *Catherine, t'aimes-tu ? Peux-tu sincèrement répondre à cela ?* » Hum ! dans les aspects professionnels de ma vie, l'estime de moi est au rendez-vous, mais ailleurs ? Je prends conscience que ce n'est pas dans ce que je... fais que l'estime est manquante, mais plutôt dans ce que je... suis. La question reposée me fait plonger profondément dans cette enfance où je sens n'avoir jamais pensé mériter ce que je demandais ou ce que l'on m'offrait. Une autre pensée surgit. « *Que crois-tu mériter alors ?* » Incapable d'y répondre. Une autre question s'impose. *« Crois-tu avoir droit à ce que tu as ? »* Je comprends alors que pour composer avec ce que je recevais, quelle que soit la chose reçue et si petite soit-elle, j'ai habilement provoqué en moi l'obligation de faire plus, toujours plus, encore et encore plus. Ainsi, sans estime de soi, je suis vite devenue incapable de m'évaluer par moi-même. Le jugement positif ou négatif des autres a alors été mon unique moyen pour mesurer si l'être que j'étais était estimable ou pas, aimable ou pas.

Mais, aujourd'hui, tout l'amour manifesté et l'incapacité d'en rendre l'infime parcelle, parce que je suis trop bouleversée et trop fatiguée, m'obligent à m'accorder le droit à l'amour et à l'amitié inconditionnels. Quelle découverte ! Des larmes de chagrin et d'apitoiement *« Enfin un bon sentiment envers toi, ma vieille »* me donnent envie de me blottir dans les bras de ma mère, de m'y abandonner et d'oser crier une fois dans ma vie : **« MAMAN, J'AI PEUR ! »**

AS-TU LE GOÛT DE VIVRE ?

Mercredi 17 juin 1998

De nouveau dans la salle d'attente de l'oncologue, cette fois-ci avec ma sœur. Nous révisons la liste de questions pour lesquelles j'attends impatiemment des réponses. Nous ne serons pas trop de deux, car les 15 derniers jours m'ont achevée... Pas beaucoup dormi, pas beaucoup mangé, beaucoup prié, médité, visualisé, interrogé, attendu, pleuré... Je suis toujours au ralenti, robotisée, j'ai parfois l'impression de jouer dans un film dont l'histoire et les personnages ne m'appartiennent pas. Je comprends pourquoi le médecin a insisté pour que je ne vienne pas seule à ce rendez-vous. Comment aurais-je pu poser les bonnes questions et, surtout, comment aurais-je pu en retenir les réponses ?

— Madame Caron ?

On se fait les politesses d'usage. Des bonjours, des comment ça va, des assoyez-vous se disent sans grande conviction. Ces mots ne sont là que pour nous aider à briser le silence et, surtout, pour m'empêcher de lancer à la tête du médecin dès mon entrée : « Et puis, les résultats, docteur ? » Au contraire, j'agis en bonne fille sage et bien élevée, je m'assois et je questionne posément.

— Alors, docteur, quels sont les résultats ?

— C'est un lymphome folliculaire mixte, c'est-à-dire à petites et à grandes cellules, grade II. Nous utiliserons une chimio douce, comme je vous l'ai expliqué la dernière fois. Pour l'instant, la moelle osseuse est intacte et nous attendons toujours pour le dépistage du VIH. Comme vous êtes fatiguée, prenez l'été pour vous reposer et nous commencerons le traitement au mois de septembre.

— Est-ce que ça risque d'augmenter d'ici là ?

— Oui, mais comme votre type de lymphome est à évolution lente, il n'y a pas de danger.

— C'est dû à quoi ?

— À la pollution en général, aux pesticides et aux insecticides en particulier. Mais le cancer est une maladie étroitement liée aux émotions qui ont malheureusement un grand impact, tant sur la guérison que sur le développement de la maladie. Essayez donc, le plus possible, d'éviter les émotions fortes comme le stress.

Que tout cela est ironique ! Alors qu'il faut que j'évite le stress, je suis en train de vivre le plus grand stress de ma vie. Ça me fait sourire. *« Eh oui, ma vieille, la vie continue et tu as la grande chance de pouvoir faire de l'humour justement dans un moment pareil. Alors, profites-en, utilise cet outil ! »*

— Est-ce que je peux avoir de l'aide psychologique ?

— On va arranger ça... plus tard... Prenez votre temps, votre été, des vacances, reposez-vous et on reparlera de cela.

— Est-ce qu'on peut lire là-dessus ?

— Même s'il se fait beaucoup de recherches sur le lymphome, il n'y a pas beaucoup de littérature vulgarisée sur le sujet, encore moins en français. Par contre, nous avons une cassette, mais il faut la visionner sur place, à l'hôpital. Mais tout ça ne presse pas. Prenez votre temps.

— Pourrais-je rencontrer d'autres personnes atteintes ?

— Nous pourrons organiser cela. Mais, encore une fois, rien ne presse. Donnez-vous le temps d'apprivoiser tout cela.

APPRIVOISER TOUT CELA, C'EST VITE DIT ! ON FAIT QUOI POUR APPRIVOISER UN CANCER ? Je souris à cette pensée... Je me vois dans une cage au cirque, toute de léopard vêtue, le fouet à la main, en train de faire un *show* avec une bête fauve que j'ai apprivoisée. On peut sortir la fille du *show-bizz*, mais il est plus difficile de sortir le *show-bizz* de la fille, n'est-ce pas ?

Plus tard en visualisation, je me servirai de cette image afin de toujours voir le cancer comme une bête fauve qui me tient en cage et de laquelle il faut me libérer. C'est subtil ce concept de guérison, on peut faire l'erreur d'apprivoiser la maladie à un point tel qu'elle devient alors *notre* maladie ; on se l'approprie, on la connaît, on vit avec elle *dans la cage*. La guérison, elle, réside dans le fait de sortir de la cage et de n'établir aucun lien de sécurité avec celle-ci. La maladie est certes là et on doit en connaître tous les tenants et les aboutissants, mais le lien affectif à créer est avant tout avec soi-même. Plusieurs moyens sont à notre disposition pour bâtir ce lien de façon durable. Afin de ne pas me laisser impressionner par le défi à relever, la meilleure façon est, quant à moi, de procéder par étapes. Voici comment j'y parviendrai.

Premièrement, avant d'entreprendre la guérison, je prendrai le temps de la compréhension. Je me demanderai quels messages cette maladie tente de me communiquer. Quels avantages pourrai-je en retirer ? Et par-dessus tout, je tenterai de ne pas me sentir coupable de profiter des bénéfices que je m'accorderai bien maladroitement ; car, croyez-moi, il y en aura des bénéfices. Dans mon cas, les avantages seront nombreux. D'une part, je me donnerai le temps de penser, de contempler, de lire, d'écrire et de créer. Le temps d'apprendre à vivre, quoi ! D'autre part, je m'offrirai un précieux cadeau, celui de faire le tour de mon jardin et d'ainsi mieux me connaître grâce à la psychothérapie. Je reviendrai plus longuement sur cette importante étape.

Deuxièmement, quand on a franchi la phase de la connaissance de soi, vient tout naturellement celle de la reconnaissance de soi ; je tenterai ainsi humblement de m'aimer moi-même pour ce que je suis. Il est absolument essentiel de cultiver cet amour envers soi, afin d'être en mesure de décider fermement que son corps ne servira pas de demeure à vie au cancer. En ce qui me concerne, il me faudra presque trois ans pour arriver à l'étape ultime de la rémission recherchée. C'est d'ailleurs un rêve que j'ai fait qui m'a mise sur la piste de ces étapes à franchir.

Rêve de la nuit du 25 janvier 1998

AU CAMP DE CONCENTRATION

Je suis dans un camp de concentration, je marche dans un tunnel enneigé, le plafond est bas, il y a urgence, je cours pour arriver au plus vite au bout car, dans quelques secondes, la porte se fermera. Ils ne permettent qu'à quelques-uns de sortir chaque jour. Je réussis. Il fait froid. Je suis blessée. Il y a du brouillard partout. Je ne sais plus où aller ni comment. Je n'ai pas d'argent, je suis désespérée et sans moyens. Mais soudain, je suis de retour à la porte du camp et je leur dis que je dois rentrer car j'ai oublié des objets appartenant à mes parents et à mes grands-parents dans le vaisselier. Je me retrouve alors dans une salle d'opération et on enlève de mon ventre toutes sortes d'objets plus hétéroclites les uns que les autres.

Voyez-vous la même chose que moi ? Le camp de concentration est la cage (ou la maladie) et la possibilité que j'ai d'en sortir. L'important sera de ne pas me laisser gagner par la fausse sécurité créée par le camp (le fait d'y revenir en est le symbole). Il me faut cependant comprendre que je ne dois pas non plus en sortir prématurément (à preuve : cette sortie gelée, blessée, sans recours). Je dois donc prendre le temps de m'outiller pour la sortie. Je comprendrai qu'il en sera l'heure quand j'aurai opéré le retrait d'émotions oubliées, sorte de contenu refoulé que je porte en moi (l'opération y fait référence). Parents et grands-parents sont les symboles de vieilles valeurs, celles-ci risquent de me garder attachée à l'intérieur de cette cage ou de ce camp au prix de ma liberté. Ce que j'en comprends, c'est qu'il me faut non pas m'échapper de la maladie, mais m'en libérer pour vivre. Évidemment, l'analyse ainsi faite est très succincte, mais elle complète bien tout ce que j'ai écrit précédemment à propos de la cage et de la bête sauvage.

Quelle longue digression, mais ceux et celles qui me connaissent reconnaîtront là l'un de mes traits de caractère. En effet, il est intéressant de suivre ainsi les pistes qui s'offrent à nous. Qui sait ? Peut-être mèneront-elles quelque part ? En ce qui me concerne, je crois fortement que tout ce qui se présente, ne serait-ce qu'une pensée, a toujours sa raison d'être. Enfin, où en étais-je déjà ? Ah oui ! dans le cabinet de consultation de l'oncologue...

— Vous pouvez demander l'avis d'un autre médecin si vous voulez. Prenez l'été pour rencontrer un autre spécialiste et rappelez mon assistante pour un rendez-vous en septembre, si vous choisissez de continuer avec moi.

Tiens, tiens, voilà pourquoi rien ne pressait. J'ai aimé son ouverture et sa sagesse. Il me laissait ainsi libre de l'aimer ou non. J'ai, en effet, consulté ailleurs. Ce fut instructif, je dirais même nécessaire, car ça m'a aidée à prendre ma décision. Je l'ai choisi ! Je suis revenue, comme convenu, en septembre.

Mais l'été sera à nul autre pareil ! Du décès d'une amie d'un cancer du sein, à une croisière sur le Nil, en passant par un séjour sur l'île Verte et un voyage en cargo de Sorel à Havre-Saint-Pierre, je vivrai comme dans une bulle, très souvent hors du temps et de moi-même, mais aussi ballottée entre la peine et l'abondance.

En effet l'été, vu de l'extérieur, sera assez agréable. Par contre, je ne pourrais en dire autant de ma vie intérieure. Elle sera, c'est le moins qu'on puisse dire, en grand dérangement.

Comment ne pas être stressée ? Comment se reposer ? Comment savoir et croire que l'on a le cancer, alors que rien d'apparent ne le laisse supposer ? Comment être fatiguée sans que la cause première en soit le cancer ? Comment ne pas avoir peur ? Comment ne pas dramatiser ? Comment ne pas se culpabiliser d'avoir un cancer à évolution lente devant tant d'autres qui sont à trois ou six mois de la fin ? Comment organiser ma réflexion devant tout ce fatras d'images qui s'imposent et qui me semblent tout aussi fortes les unes que les autres ? Commencer par le commencement peut-être ? Oui, mais, le commencement de quoi ? Le commencement du début, début du début ou début de la fin ? Du début de la maladie ? Ou de l'origine de celle-ci ? J'ai chaud, j'ai froid, j'ai le vertige, ma vie bascule. « *Oui, Catherine, ta vie bascule, mais tout cela a commencé bien avant aujourd'hui. Souviens-toi !* »

Tout a commencé le 28 février 1998, jour du 83e anniversaire de naissance de mon père, sur l'autoroute Jean-Lesage en compagnie de mon amie Lise. Je me rappelle...

En ce jour d'hiver, il y avait éclipse solaire et alignement des planètes comme il ne s'en voit que tous les 1000 ans. Tous s'entendaient pour dire que l'occasion était belle pour faire un vœu. Nous nous sommes arrêtées et avons pris le temps d'articuler notre pensée en ce moment d'importance. Voici la mienne : depuis longtemps, mon équilibre entre travail, loisirs, famille, spiritualité et repos est difficile à maintenir. Je me sens fatiguée. J'ai moins de plaisir à faire ce que je fais. J'ai le goût d'arrêter, de prendre de longues vacances. En même temps, je sens que mon travail de croissance personnelle et spirituelle est bloqué. Je ne progresse plus. Mon cœur fait des ratés depuis le mois de janvier et ça m'inquiète. J'ai besoin de temps. Comment arrêter cette machine qui roule à 200 milles à l'heure ? J'ai l'impression depuis quelque temps de tourner en rond comme un chien qui court après sa queue. Trop d'années sans pleurer. Trop d'années à tenir le coup dans la tourmente. Trop d'années à me débrouiller seule. Trop d'années sans avouer et m'avouer ma vulnérabilité. Trop d'années à ne travailler que pour survivre... Tel était l'état d'épuisement dans lequel je me trouvais en ce mois de février de l'année 1998.

Donc, sur l'accotement de l'autoroute, dans une noirceur semblable à celle d'un vendredi saint, à deux heures de l'après-midi, j'ai prononcé à haute voix, pour bien prendre conscience de mon engagement : JE SUIS PRÊTE À PRENDRE, QUELLE QUE SOIT LA SOUFFRANCE QU'IL ENGENDRERA, TOUT ÉVÉNEMENT QUI M'AMÈNERA À COMPRENDRE MON BLOCAGE, TOUT ÉVÉNEMENT QUI M'AMÈNERA À FAIRE UN PAS EN AVANT PSYCHOLOGIQUEMENT ET SPIRITUELLEMENT. EN SOMME, TOUT ÉVÉNEMENT QUI M'AIDERA À ÉVOLUER.

J'étais loin de me douter que ce que je demandais se présenterait quelques mois plus tard sous la forme d'un cancer. Eh oui ! j'assume que j'ai eu ce que j'avais demandé et, croyez-moi, j'obtiendrai les résultats escomptés, et même au-delà. Les chapitres qui suivent relatent les prises de conscience, les changements de valeurs, les lâcher-prise et les virages à 180 degrés que je devrai effectuer pour arriver où j'en suis aujourd'hui.

Là où il y a dualité, j'apprendrai à créer l'harmonie entre la tête et le cœur et entre l'ego et l'âme. Là où il y a devoirs et responsabilités, je ferai émerger le plaisir, les désirs et les rêves. Là où il y a indécision, je saurai choisir. Je n'ai donc pas accumulé toutes ces connaissances en vain. Voilà que me vient l'occasion de les intégrer totalement. Fort heureusement, j'ai de nombreux outils pour y arriver. Je peux compter sur ma vie intérieure, sur ma spiritualité, sur tous mes liens affectifs et sur la psychothérapie, sans oublier l'outil majeur — je ne parle que pour moi évidemment —, l'analyse des rêves.

Quelle découverte extraordinaire de constater que cette incessante recherche d'équilibre, de croissance personnelle et spirituelle a pris malgré moi le chemin de la pratique, qu'elle est passée de la tête au cœur, que j'ai pu l'intégrer et, à chaque instant, la mettre en application afin de permettre cette renaissance que je vis aujourd'hui. Après avoir compris et réagi au pourquoi de mes souffrances, après ce que je calcule être une belle étape de ma vie, je me considère comme privilégiée de pouvoir à nouveau partager les fruits de cette enrichissante expérience. Je sais que je ne souffre pas inutilement. De quelle souffrance peut-il bien s'agir ? me direz-vous. De la même que la vôtre sans aucun doute et, en même temps, si différente j'en suis sûre... Souffrance de peur, de rejet, de peine d'amour, d'absence, de stress, d'angoisse, d'inquiétude, de jalousie, de possession, de culpabilité, d'orgueil, de manque de confiance, d'estime et de respect... Souffrances bien inutiles parfois et, en même temps, si nécessaires, ne serait-ce que pour attirer notre attention, afin de porter un regard critique sur les années passées et, surtout, afin de décider que nous ne voulons plus vivre ainsi. C'est ce qui m'arrive. Ce regard introspectif permet à mon âme de me souffler judicieusement à l'oreille : « *Catherine, tu ne vas pas rater l'occasion que tu as de vivre une deuxième vie dans la même vie ? Tu ne vas pas vivre cette deuxième vie de la même façon que tu as vécu la première, hein ?... Je dirais même, pour faire un peu d'humour noir, tu ne vas pas rater la chance que tu as de faire un second début, hein ?* »

Mardi 4 août 1998

Il y a un mois, j'ai demandé un soutien psychologique pour m'aider à décoller le fond de la casserole, comme je m'amuse à le dire. J'y suis enfin ! Dans la salle d'attente, je réfléchis...

Je suis là à me demander comment tout cela va finir. Comme j'en aurai fait des heures de salles d'attente pendant ce périple de près de trois ans ! Heureusement qu'il y a la méditation pour m'amener à cet endroit intérieur où on trouve toujours la paix ! Mais je ne puis dire qu'en cet après-midi du 4 août, j'arrive à méditer. Mon mental a trop besoin de s'articuler pour poser les bonnes questions au psychiatre que je m'apprête à rencontrer.

— Madame Caron ?

— Bonjour docteur.

— Assoyez-vous et dites-moi ce qui vous amène ici.

— J'ai appris en juin dernier que j'avais le cancer, un lymphome. J'ai lu et entendu à plusieurs reprises que le cancer a, à son origine, des causes émotives et qu'en...

Il m'est impossible d'en dire plus, j'ai les larmes aux yeux. Je lutte pour reprendre la phrase là où je l'ai laissée. Dans ma tête, un choix s'impose : « *Tu tentes de garder le contrôle, Catherine, ou alors tu lâches prise. N'est-ce pas le meilleur endroit pour le faire ?* » Je comprends alors que là, je pourrai enfin pleurer comme une enfant, sans retenue et sans peur du jugement, sans avoir constamment en arrière-pensée cette rengaine du mental qui m'a fait tenir le coup jusqu'à maintenant. Des « Que va-t-on penser de moi si je pleure ? », « Une femme forte, ça ne pleure pas ! », « Je n'ai pas le temps de pleurer ! », « Qu'est-ce que ça donne de pleurer ? » je n'en veux plus. J'ai quatre ans, j'ai peur, je veux me blottir dans des bras accueillants et tendres, me cacher derrière une porte, disparaître et, en même temps, qu'on s'occupe de moi, qu'on m'aime, qu'on me choisisse. Je pleure. Je sens qu'ici, je pourrai progresser. Je sens qu'ici, j'arriverai à faire tomber ma barrière de protection, mesure de survie érigée au fil des ans afin de passer, tant bien que mal, à travers le stress de la vie.

— Madame Caron, savez-vous qu'on développe un cancer quand on refuse de vivre une dépression, quand on est gagné par la tristesse ?

Quel choc ! « *Tu as le cancer et, en prime, tu es en dépression, ma belle. Tu as gagné le gros lot, on dirait ! Que penses-tu de cela, Catherine ?* »

— Docteur, est-ce que ça veut dire que je dois accepter d'être en dépression pour guérir ?

— Accepter de prendre conscience de la tristesse qui vous habite et de remonter à la source de celle-ci... oui.

Ça y est, la ronde des questions recommence. Depuis quand suis-je triste ? Où me suis-je perdue de vue ? Que m'est-il arrivé ? Que faire et comment faire ?

L'heure prévue pour cette rencontre d'évaluation s'écoule trop rapidement, mais on me rappellera pour me confirmer la date du prochain rendez-vous et le nom de la ou du thérapeute avec qui le travail d'introspection s'effectuera. Chimiothérapie et psychothérapie commencent donc.

Je dois remonter à la source de cette tristesse qui m'habite, car c'est là que se situe le point de résistance, le blocage... Je cherche, je fouille, je tâtonne... Sans cesse tout au cours de l'automne et de l'hiver, ma thérapeute, très habilement, m'amène à me poser LA question : « *CATHERINE, AS-TU LE GOÛT DE VIVRE ?* » La réponse sera déterminante pour la réussite du travail thérapeutique et, surtout, elle m'amènera à la rémission, nous en sommes toutes les deux persuadées.

« *CATHERINE, AS-TU LE GOÛT DE VIVRE ?* » Je ne sais que répondre... Oui, non, peut-être, parfois oui, parfois non. Je ne sais plus...

Les traitements de chimiothérapie vont bon train puis s'arrêtent, car le taux de mes globules blancs est trop bas... Ils vont reprendre de façon intermittente au cours des deux prochaines années, toujours pour la même raison.

« *CATHERINE, AS-TU LE GOÛT DE VIVRE ?* » Je ne sais toujours pas quoi répondre...

C'est si dur, je suis si fatiguée, j'ai tellement peur ! Je prends conscience de l'ampleur de la question et, surtout, de celle de la réponse. Imaginez ! Si je réponds non, je meurs ! Si je réponds oui, je devrai me responsabiliser. Je n'aurai plus le choix de m'échapper ni de fuir ainsi ma vie. Plus question de survie ni de travail forcené. Je devrai vivre pleinement chaque instant. Plus question de laisser s'écouler une seule minute sans la conscience extrême de choisir de la vivre, dans la peine ou dans la joie, mais de la vivre totalement pour ne rien emporter de l'instant d'avant, dans l'instant d'après. Je suis si fatiguée, je ne sais comment faire, mais je tiens bon. Je veux y arriver, je veux me libérer du passé et des contraintes que l'ego m'impose. Je veux entendre parler mon âme.

« *CATHERINE, AS-TU LE GOÛT DE VIVRE ?* » Je ne sais. Je n'ose toujours pas répondre...

J'acquiers cependant la certitude que la rémission et même la guérison ne dépendent que de mon pouvoir personnel et intérieur à les créer. Bien sûr, il y a les traitements, les médicaments et une panoplie de techniques alternatives qui ont leur efficacité propre. Mais si, de l'intérieur, je ne prends pas la responsabilité de cette rémission et de cette guérison, tout le soutien et toutes les aides que j'utiliserai demeureront extérieurs et n'auront que peu d'impact.

« *CATHERINE, AS-TU LE GOÛT DE VIVRE ?* » OUI ! Neuf mois plus tard, je répondrai OUI ! Le temps de faire d'instructifs rêves, dont celui-ci...

Rêve de la nuit du 5 août 1998

IL Y A DE LA DÉPRESSION DANS L'AIR

Je suis assise à une table avec des personnes dont plusieurs semblent déprimées. Je les regarde et je me demande pourquoi elles sont ainsi. L'une d'elles, qui semble en meilleure forme, dit à la ronde : « C'est parce qu'elles ne pensent qu'au matériel. » Elle rajoute à mon endroit : « Ne te préoccupe pas du matériel, ça s'arrange toujours. »

Quelle belle piste à suivre ! Depuis quand est-ce que je ne me préoccupe que du matériel, que d'assurer ma survie et celle des miens ? Certes, je faisais régulièrement l'exercice de la confiance en la vie, du remerciement pour l'abondance, de l'acceptation de ce qui arrive, du lâcher-prise. Cependant, je me rends compte aujourd'hui que c'était un exercice où le mental était très sollicité. Malgré tous mes efforts de volonté pour me détacher du résultat, il subsistait sûrement (puisque le rêve y fait allusion) une peur, une inquiétude, une angoisse et une insécurité sous-jacentes à l'exercice et qui en altéraient inévitablement les résultats. Pour être efficaces, les éléments d'abandon, d'acceptation et de lâcher-prise ne doivent pas être portés par la tête, mais par un cœur confiant, sans aucun doute et sans arrière-pensée.

Neuf mois de questionnements... Le temps de me remettre au monde... Je réponds OUI. OUI, j'ai le goût de vivre, d'aimer, de rire, de profiter de la vie, de dire merci, de partager. OUI à la vie, mais la vie dans le cœur, dans l'essentiel, dans la simplicité. OUI, j'ai le goût de vivre chaque instant en éprouvant... **LA PASSION DE VIVRE !**

UNE VIE DE SURVIE !

Hiver 1997

Au cours de l'année 1997, j'ai fait une régression. Je n'avais jamais vécu ce type d'expérience et, comme je suis curieuse de nature, je me suis dit qu'il n'y avait pas de mal à essayer. Certaines personnes affirment que les résultats de ces pratiques, régression et renaissance par exemple, sont totalement subjectifs, voire imaginaires. Peut-être est-ce vrai. Je ne saurais l'affirmer ni l'infirmer. Mais en ce qui me concerne, je crois que tout travail de recherche sur soi qui utilise des outils thérapeutiques d'introspection comme l'hypnose ou l'analyse des rêves ou même la simple psychothérapie est toujours un peu subjectif, car il ne fait référence qu'à notre réalité personnelle, et j'irais même jusqu'à dire, qu'à notre façon de percevoir cette même réalité. Toujours est-il que souhaitant tenter l'expérience, je me suis présentée chez l'homme qui devait m'accompagner dans cette aventure.

— Pourquoi refusez-vous votre incarnation ? me dit-il de but en blanc en m'apercevant.

— Heu !...

Je suis restée bouche bée... « Est-ce que je sais, moi ? Que veut-il dire par "refusez votre incarnation" ? » Je me passai intérieurement cette réflexion, mais je ne dis mot.

Cette phrase, aussi anodine qu'elle puisse paraître, n'en demeura pas moins profondément imprimée en moi et orienta toute une partie de mon travail de croissance personnelle au cours des mois qui ont suivi. Pourquoi cette phrase plutôt qu'une autre, me direz-vous ? Tout simplement parce que c'est celle que ma conscience a décidé de rappeler sans cesse à ma mémoire. Et comme je ne chasse jamais du revers de la main ce qui me semble être une flèche rouge sur un plan indiquant clairement : « vous êtes ici », j'ai suivi le guide. De plus, n'ayant pas eu la présence d'esprit de demander des explications à propos de cette remarque, j'ai dû trouver la réponse seule. Je me félicite de ne pas l'avoir questionné, car le temps que j'ai mis à regarder de plus près cette observation m'a amenée à d'intéressantes prises de conscience.

J'ai d'abord cru, non sans raison, que mon refus d'incarnation était attribuable à un déséquilibre yin/yang. Ne quittez pas votre appareil, il n'y a rien d'ésotérique là-dedans. J'entends par déséquilibre yin/yang le fait que je sois allègrement tombée dans le piège de la *wonder woman*. Je suis de ces femmes qui ont dû, dans une société aux valeurs masculines (yang), développer celles-ci au détriment de leurs propres valeurs féminines (yin). De celles qui ont dû développer efficacité, rentabilité, performance et, surtout, logique, rationalité et action, au détriment d'intériorité, d'imagination, de créativité et, surtout, d'émotions. Je suis de cette génération de femmes, soi-disant libérées, mais ô combien prisonnières d'une image de femmes-mères victimes et soumises à laquelle elles n'ont pas voulu ressembler.

Je suis de cette génération de femmes sans réels modèles à suivre. Entre la femme sans droit et la féministe pure et dure, je suis de celles qui ont dû *réinventer* la femme. Dans les circonstances, que pouvions-nous faire ? Ce que nous avons fait ! Adopter des valeurs masculines pour fréquenter un monde d'hommes et nous surpasser sur le terrain des hommes, laissant pour morte la femme en nous. Je n'ai pas échappé à la règle, la femme en moi s'est endormie, telle la Belle au bois dormant, pour des siècles et des siècles. Je tente aujourd'hui de la réveiller, non sans difficulté, croyez-moi ; chassez le naturel et il revient au galop, n'est-ce pas ? Espérons que la génération qui suit saura, de plus en plus, amener ses valeurs féminines au travail, les faire respecter et les utiliser. Souhaitons-le pour l'évolution de notre société.

Donc, la femme au travail que j'étais, mariée d'abord et chef de famille monoparentale par la suite, se devait d'être aussi bonne mère que bonne épouse ou bonne amante. En vérité, je vous le dis, j'ai admirablement bien relevé le défi. Je fus une formidable et parfaite *wonder woman*. Oh, que oui ! Personne n'a pu dire quoi que ce soit là-dessus, croyez-moi ! Tout allait pour le mieux dans le meilleur des mondes. Et pourtant... J'étais une bombe à retardement, un volcan dont l'explosif, le magma en ébullition — une masse compacte d'émotions refoulées — attendait son heure pour exploser.

Toutes, tant que nous sommes, femmes de ma génération qui avons choisi de nous épanouir dans et par le travail, devions suivre la règle d'or de l'époque... NE FAILLIR EN AUCUN CAS À NOS DEVOIRS D'ÉPOUSE ET DE MÈRE... Faire reluire la maison, remplir le frigo, superviser les devoirs et les leçons, accompagner nos enfants dans leurs activités parascolaires, être attentives à leurs joies et à leurs peines, être inquiètes quand ils étaient malades, soutenir la carrière et les aspirations de nos conjoints ou jouer le rôle du père absent, sans oublier d'être aussi une bonne amante toujours pleine d'entrain et disponible pour l'amant quand il y en avait un. Tout cela évidemment en respectant une autre règle d'or... QUE JAMAIS NE PARAISSE QUE NOUS BOSSIONS FORT, TRÈS FORT... Ce fut très cher payé le droit de travailler !

« Quel contrat ! Catherine, pourquoi t'es-tu fait la vie si dure ? » Pour acheter la paix, pour sentir que j'existe, pour m'aimer, m'estimer et, surtout, pour ne pas prêter flanc aux commentaires négatifs. *« Catherine, est-ce que c'est une vie, ça ? »* À cela, je réponds évidemment non ! C'est quand même la vie que j'ai

menée pendant de nombreuses années. Un rêve fait à cette époque de prises de conscience de mes valeurs féminines refoulées faisait totalement allusion à cette dualité yin/yang.

Rêve du 28 juin 1997

TROIS LOGEMENTS

Je suis dans un logement avec mon fils. Je sais que ce logement est le mien et je sais que je le conserve pour mon fils qui, dans le rêve, est mon frère. Je sais aussi que je suis propriétaire de deux autres logements dont l'un est réservé à mon autre frère, qui m'apparaît être aussi mon fils. Le troisième est pour nous loger, ma fille et moi.

Dans les rêves, on interprète généralement la maison/ le logement comme étant le reflet de notre personnalité, les pièces de cette maison ou de ce logement comme étant le reflet d'éléments de notre personnalité, tels que notre sociabilité, notre intimité, notre sens de la famille, etc. Dans le rêve, être propriétaire de trois logements dénotait au départ un manque d'harmonie, une scission dans ma personnalité. De plus, le fait que deux de ceux-ci étaient réservés à mes frères/ fils, donc à des hommes, comparativement à un seul réservé à ma fille et à moi-même, donc à des femmes, soulignait bien dans ma façon d'être l'importance accordée aux valeurs masculines. Inspirée par ce rêve, je me suis mise à observer trois choses : toutes les occasions qui m'étaient données, au quotidien, de mettre de l'avant mes valeurs féminines, par exemple mon intuition et ma créativité ; la difficulté que j'éprouvais, malgré la prise de conscience, à leur donner la priorité et, finalement, le sentiment de culpabilité qui en découlait.

Mais revenons à cette phrase qui me tarabustait : « Pourquoi refusez-vous votre incarnation ? » Cette même année, une personne dans un de mes ateliers avait raconté un rêve qui, à l'analyse que nous en avions faite en groupe, l'avait mise sur la piste de l'intégrité, de la sincérité et de l'honnêteté envers elle-même. Nous avions, ce soir-là, beaucoup parlé de respect de soi par soi et de respect de soi par les autres. Grand sujet de réflexion, n'est-ce pas ?

« Que voilà une question intéressante ! Est-ce que tu te respectes ? Est-ce que tu te fais respecter, Catherine ? » D'emblée, nous serions tous portés à répondre oui... Mais si nous nous reposons la question honnêtement, il se peut que la majorité d'entre nous réponde de temps en temps oui, parfois non, quand ça n'est pas carrément non sur toute la ligne. Essayez, interrogez-vous et prenez le temps de réfléchir avant de répondre. Vous serez peut-être étonné de vous entendre répondre... non. Moi, en tout cas, c'est ce qui m'est arrivé.

Dans les jours et les semaines qui ont suivi, je me suis mise à observer ma propre intégrité envers moi-même. Ce fut le choc ! Je n'ai vu aucune compassion envers mes difficultés et mes peines, et peu de respect de mes besoins, ce qui se comprend, évidemment, compte tenu de la *wonder woman* que j'étais. Quel choc !

De là à penser que ce fameux refus d'incarnation venait du manque d'intégrité envers moi-même, il n'y avait qu'un pas que j'ai franchi inévitablement. En effet, si je ne respecte pas mes besoins, mes désirs, mes aspirations, mes peines et mes souffrances, je ne suis pas totalement moi-même et, par conséquent, je me mets en situation de refus de vivre totalement ce que je suis venue expérimenter sur cette terre... Me suivez-vous ? J'ai l'impression de brasser une grosse soupe épaisse de mots qui sont très significatifs pour moi, mais qui, une fois couchés sur papier, deviennent incohérents. Enfin... Cela reflète bien l'état dans lequel je me trouvais à l'époque : préoccupée, suivant une voie et puis une autre, espérant ou désespérant de trouver une fois pour toutes la voie de la guérison.

Cette démarche de reconnaissance de tous les moments où je me suis manqué de respect, de tous les moments où l'honnêteté envers moi-même n'était pas au rendez-vous, est très instructive. Elle me fait comprendre la partie de ma nature profondément enfouie. Elle me fait surtout comprendre que, ne l'ayant jamais laissée paraître, et ce, depuis tellement longtemps, j'ai aujourd'hui grand misère à même la reconnaître. *« Catherine, qui es-tu vraiment ? Où vas-tu, ainsi happée par la vie sans jamais prendre le temps de te demander si tu es en train de respecter tes rêves, tes désirs, tes besoins, tes passions ? »* Choc, choc et rechoc ! Depuis combien d'années ai-je abdiqué ? Depuis combien d'années ai-je nié ma sensibilité ? ma vulnérabilité ? mes émotions ? Non seulement mon féminin est endormi et refoulé, mais ma nature entière est sous une cloche de verre. Quel gâchis que cette sensation d'être passée pendant 50 ans à côté d'une partie de moi-même !

Dans cet instant de malaise surgit toutefois un grand réconfort. En effet, ce constant *mal-être* permet de développer une *hyperconscience* de la vie. Cette *hyperconscience* doublée d'une grande curiosité me stimule à trouver sans relâche des réponses à mes questions. Ces réponses permettent à la communicatrice en moi de partager sans retenue le fruit de ses recherches. Je suis soulagée de tirer cette conclusion. Elle démontre encore qu'il n'y a rien de mal ou de bien, il n'y a que ce qui est... Ce n'est qu'avec ce qui est que l'on peut agir... *« Par contre, Catherine, rien ne t'interdit de transformer ce qui est. »* En effet, rien ne l'interdit ! Regardez-moi bien aller, c'est ce à quoi je vais m'employer de toutes mes forces à compter d'aujourd'hui.

Que me voilà bien servie... Un féminin endormi qui mène au déséquilibre, une nature profonde sous cloche de verre qui me fait devenir ce que je ne suis pas vraiment... Deux beaux constats qui me semblaient bien suffisants pour expliquer et mieux comprendre mon refus d'incarnation, ne trouvez-vous pas ? Moi si, j'y ai cru... un moment ! Mais quand on a ouvert la porte de l'intégrité envers soi, il n'est pas long le temps de se rendre compte des excuses qu'on se donne, des bateaux qu'on se monte et des sapins qu'on se passe. Tout cela pour avoir bonne conscience devant les actions et les choix que l'on fait, pour acquérir le droit de se faciliter un peu la vie et pour échapper un tant soit peu à l'affreux sentiment de culpabilité qui nous habite. Mais le jour vient où chaque événement que nous vivons nous met face à une autre incontournable loi apprise dès l'enfance... PAYER, DE QUELQUE FAÇON QUE CE SOIT, TOUTE DOUCEUR OU TOUT BON TEMPS QUE L'ON S'ACCORDE... Je trouve bien décevant de constater qu'après avoir banni les bonnes vieilles indulgences catholiques de ma réalité, je les ai remplacées par les mérites... On carbure aux mérites ! Combien sommes-nous à nous être dit : « Je peux bien faire ceci ou cela, car je le mérite » ou « J'ai assez travaillé fort pour me récompenser » ? Et quoi encore ? En tout cas, ce fut longtemps mon fonctionnement et il est bien difficile à désamorcer. « *Catherine, comme tu t'es créé une réalité dure à vivre !* » Que la vie est donc tout crûment dure à vivre, tu veux dire ! Je peux bien refuser mon incarnation si la vie est si dure à vivre...

La même année, mes copines Lise et Dianne m'ont offert un livre que je conseille à tous et à toutes de lire : *Conversation avec Dieu*, de Neale Donald Walsch. Ce livre m'a mise sur la piste d'un autre constat, le troisième, tout aussi important que les deux précédents et qui m'a permis de compléter ma réflexion face à mon refus d'incarnation. Quel fut ce constat ? Je vous le donne en mille ! Je suis marquée au fer rouge par l'éducation judéo-chrétienne que j'ai reçue. J'ai totalement intégré les valeurs de souffrances ici-bas, de bonheur dans l'au-delà, de devoir et de responsabilité envers son prochain, d'abnégation de soi et tout ce fatras de jugements et de peurs légués par la religion. Et, qui plus est, j'ai bâti toute ma vie, mes pensées et mes actes sur ces valeurs et ces croyances.

« Ah là, ma Catherine, c'est vraiment le boutte du boutte ! » Je peux bien dire oui à la vie, mais si je ne change rien aux vieilles valeurs profondément ancrées en moi, je vais tourner en rond. C'est bien ce que le rêve du camp de concentration symbolisait. Je cherche, je fouille, je tâtonne sans cesse, inlassablement. Je dois, il faut que... me voilà repartie pour les il faut que... IL FAUT QUE... que de choses nous avons entreprises en ton nom ! Je me démène pour débusquer chaque décision prise au nom du JE DOIS judéo-chrétien. Je travaille d'arrache-pied pour démasquer chaque choix fait au nom du IL FAUT QUE judéo-chrétien. Je suis comme une perdue à essayer de garder la tête hors de l'eau, j'en ai jusqu'au cou, parfois jusque sous le nez. *« Relâche un peu la vapeur, Catherine. Regarde derrière, regarde le chemin parcouru et tu verras tout de même que tu avances. »* Oui, c'est un fait, j'avance, mais je me rends bien compte que, jusqu'à maintenant, la vie que j'ai menée n'était pas réellement une vie.

Hein ! Est-ce que ça fait réellement 50 ans que ma vie n'est pas une vie ? Est-ce que ça fait réellement 50 ans que je subis la vie ? Eurêka ! J'ai trouvé ! Je comprends ! Je refuse mon incarnation parce que je ne vis pas, je survis. Ayoye ! c'est horrible de comprendre cela. Mais, en même temps, je suis ravie de saisir profondément la véracité de cette notion si bien traduite dans le livre *Conversation avec Dieu* : « Vivre c'est s'engager à profiter pleinement et passionnément de la vie qui est santé et abondance. » Oui il faut, euh ! pardon ! Désormais, je vais faire un mantra de cette phrase : JE SUIS SANTÉ ET ABONDANCE... Voilà, JE SUIS SANTÉ ET ABONDANCE sera désormais le logiciel avec lequel je vais *reprogrammer* mes cellules. J'y ai même rêvé, à ce changement de valeurs. Il me fera accéder à une autre façon de penser et de vivre en santé et dans l'abondance, à une autre façon de vivre librement et dans le plaisir. Dans la même nuit, deux rêves que je calculerais de majeurs confirment ces découvertes.

Rêves du 7 septembre 1998

LA SITUATION

Je suis avec le père de mes enfants et nous nous sommes remis en couple. Je constate soudain que notre fille Sylvie, qui a six ou sept ans, perd ses cheveux par grosses mèches. Nous apprenons qu'elle a le cancer et je souffre énormément de cette situation. Je crie, je pleure et la douleur est si intense que je me réveille.

Ce retour en arrière me ramène au fait que la situation que je vis remonte à bien longtemps, à l'âge de six ou sept ans. Ma fille Sylvie est, dans la réalité, une artiste curieuse et aventureuse, qui passe constamment par-dessus ses peurs pour aller au bout de ses rêves et de ses passions. C'est à cette partie de moi à laquelle le rêve fait allusion en y mettant en scène Sylvie. J'en étais donc là, j'en étais rendue à me refuser le plaisir et l'aventure d'être moi-même. Pour être bien sûr que je comprenne, mon inconscient en rajoute avec la perte de cheveux (qui symbolise ma perte de vitalité, de charme et de séduction). Le rêve, en me ramenant à l'époque de ce qui n'est plus (mon couple avec Louis), traite des vieilles valeurs familiales et sociales auxquelles j'ai tenté de répondre. Or donc, tout y est, peur de prendre des risques, perte du goût de vivre pleinement et en toute féminité comme le fait ma fille Sylvie, et ce, depuis que je fonctionne avec des valeurs qui ne me ressemblent pas. Le cancer n'aurait peut-être pas été si j'avais endossé mes propres valeurs et si j'avais pu extérioriser mes émotions au moment où je les vivais, comme je l'ai fait dans le rêve. Voilà pour le premier rêve, mais observez bien la suite...

LE CHANGEMENT

Je suis dans un pays arabe à une autre époque. Je suis avec mon chien et je circule sur le pavé dans de petites rues comme il s'en trouve dans les pays arabes et je me dirige vers une colline de sable qui me semble être le début du désert. Soudain, mon chien se transforme en cheval et moi, en cavalier arabe. Je suis habillée à la bédouin, un peuple du désert. Je chevauche et j'éprouve une telle sensation de pouvoir et de plaisir à gravir cette colline ! Comme si j'allais à la conquête de quelque chose.

Il faut d'abord dire que j'ai fait ces rêves pendant mon voyage en Égypte et que j'ai aimé ce pays, sa culture, sa spiritualité. Voilà sans doute pourquoi mon rêve se passe dans cette partie du monde. Et, justement, s'il est un coin de la terre où les valeurs morales et religieuses sont totalement différentes des nôtres, c'est bien chez les Arabes et dans le désert. Il est donc facile de reconnaître ici le changement de valeurs à opérer. Si je chemine (symbolisé par les rues) avec fidélité envers moi-même (symbolisée par le chien) et que j'accepte de quitter les sentiers battus pour me diriger vers l'inconnu (symbolisé par le désert) et avec d'autres valeurs (symbolisées par le costume de Bédouin), il y aura totale transformation. Je me consacrerai tout entière à la conquête de moi-même : en témoigne la sensation de pouvoir, et ce, en toute liberté (symbolisée par le cheval) et le plaisir de vivre (à preuve : l'émotion que j'avais dans le rêve). L'univers des rêves est si extraordinaire que j'en suis chaque fois ébahie.

La vie est non seulement santé et abondance, mais elle est aussi liberté et plaisir. C'est à partir de ces valeurs que doit maintenant être repensée, rebâtie et réintégrée ma nouvelle vie ! Et par-dessus tout... **MA VIE NE DOIT JAMAIS PLUS ÊTRE UNE VIE DE SURVIE !**

LE CANCER, UN MESSAGER !

Printemps et été 1998

Dans les milieux où l'on porte un regard plus global sur la santé, et particulièrement sur le cancer, on tente de mettre en résonance le corps et l'esprit. On essaie de comprendre tout ce que le cœur et l'âme ont à exprimer avec et par l'apparition d'une maladie. C'est une façon de voir que je partage totalement. Alors imaginez, moi, une fervente de l'équilibre, moi, une maniaque du symbole, moi, une interprète de tous les messages que l'Univers nous envoie par la vie qu'il nous offre à vivre... Oui, imaginez la ferveur avec laquelle je me suis mise à l'œuvre dans l'analyse, l'interprétation et la compréhension du cancer dont j'étais atteinte. Évidemment, j'ai agi et réagi avec ma personnalité, avec mes forces et mes faiblesses, mais voici tout de même la façon dont j'ai observé et abordé les choses.

Première observation : la protection

Le système lymphatique est notre système complet de défense contre les infections, les virus, les bactéries et les autres éléments qui agressent quotidiennement notre équilibre physique. On l'appelle aussi le système immunitaire. De cette simple définition découle une série de questions. Comment est-ce que j'utilise mon système de défense ? Comment est-ce que je me protège des agressions extérieures ? Qu'est-ce qui m'agresse tant ? Quel système de défense physique, intellectuel, émotif et spirituel ai-je bâti pour me protéger ? Mais avant tout, pourquoi est-ce que je sens le besoin de me protéger ?

D'emblée, je peux dire que j'ai l'impression de m'être toujours protégée. « *Oui, mais, pourquoi et comment t'es-tu protégée ? C'est ça la question, Catherine.* » Cette protection remonte à un très jeune âge ; d'ailleurs, un de mes rêves, fait il y a de cela six ans, était très symbolique à cet effet. À cette même époque, je commençais à me rendre compte que ma progression spirituelle et psychologique était de plus en plus lente et difficile. J'en souffrais et comme je n'avais pas encore réglé mes comptes avec l'empreinte judéo-chrétienne, je vivais, en plus, une culpabilité face à cette non-progression. J'ai donc pensé qu'il me fallait consacrer plus de temps à ma démarche et, pour ce faire, j'ai tenté de me libérer le plus possible des contraintes extérieures qui, croyais-je à ce moment-là, m'étaient imposées par la vie. Eh oui ! je pensais bien innocemment que c'était la vie qui m'avait obligée à charger mon agenda mur à mur. Toujours est-il que ce fut une heureuse décision qui ne dura malheureusement qu'un temps, mais qui provoqua tout naturellement une série de rêves ayant pour thème la protection. Voici l'un de ceux qui ont confirmé cette piste.

Rêve d'une nuit de mai 1994

Un bébé au grenier

Je suis dans l'appartement que j'habitais à cette époque. J'entre par en avant et je découvre que derrière la première porte, il y en a une autre qui permet de monter au grenier. Ce grenier semble m'appartenir de par les objets qui s'y trouvent. Ceux-ci sont vieux et ont été remisés là depuis fort longtemps. J'en fais l'inventaire et, soudain, je trouve un bébé âgé de quelques mois ; il paraît mort, mais il ne l'est pas réellement. À côté de lui, je vois une bouteille de médicament et je me fais la réflexion que ce bébé n'était pas viable à cause d'un mal de dos. Je sais aussi qu'il a pris le médicament pour ne pas ressentir ce mal de dos.

Trouvez-vous que je suis chanceuse ? Allez, dites oui... En tout cas, moi, je considère que de pouvoir ainsi rêver, me rappeler et analyser mes rêves est un inestimable trésor. J'ai la chance inouïe d'avoir appris à me servir de cet outil. Je le fais depuis longtemps et j'ai l'intention que ça dure. Ainsi donc, me voilà pénétrant dans ma vie intérieure et, qui plus est, dans mes vieux souvenirs (symbolisé par l'entrée dans mon appartement et dans le grenier). Souvenirs oubliés et enfouis, puisque je ne savais pas avoir un grenier dans le rêve. Le mal au dos fait allusion à la colonne vertébrale, elle-même faisant allusion à la structure de l'être, ce sur quoi on s'appuie pour fonctionner « normalement » dans la vie. Je comprends donc que très jeune, j'ai annulé un *mal-être* profond (symbolisé par le mal au dos) pour tenter de me protéger (la prise d'un médicament y fait référence) de ma vulnérabilité (symbolisée par le bébé). C'est en adoptant cette protection que j'ai pu survivre, mais c'est aussi en adoptant cette protection que j'ai relégué aux oubliettes (toujours symbolisé par le grenier) le souvenir de ce fort trait de caractère. Ça me fait mal de penser que je me suis ainsi à moitié tuée (symbolisé par le bébé semblant mort). Mais, au moins, ce rêve m'a permis de mettre le doigt sur la vulnérabilité et la sensibilité que j'ai, très jeune, complètement niées. Tout cela pour arriver à vivre et à fonctionner « normalement ». À la lumière du chapitre précédent, il serait plus juste de dire « pour arriver à survivre ». Imaginez... si j'avais alors reconnu l'artiste en moi, la vulnérabilité et la sensibilité seraient plutôt devenues des qualités à mes yeux et j'aurais sans doute pu les faire mieux respecter, malgré les critères familiaux et sociaux de l'époque, alors très basés sur l'image. On se reporte aux années d'après-guerre, vous comprenez...

Me voilà donc jeune, hypersensible et vulnérable, en train d'essayer de vivre dans un monde où je me sens émotivement agressée. Plus je suis agressée, plus ça fait mal, et plus ça fait mal, plus je veux arrêter cette souffrance. Mais comment faire ? Là est toute la question. Trois avenues s'offrent à moi. *Primo*, je peux carrément me laisser mourir. *Secundo*, je peux aussi demeurer un être souffrant, une éternelle blessée de la vie, probablement en état de dépendance familiale et sociale, parce que sans défense. *Tertio*, je peux enfouir tout cela, faire comme si de rien n'était et survivre. Examinons de plus près, parmi les solutions qui se sont offertes à moi, laquelle j'ai choisie et comment je suis arrivée à gérer toute cette affaire

J'aurais pu me laisser mourir... En effet ! À ma naissance, on a constaté que mon thymus, une glande active dans le sein de notre mère pour nous permettre de nous alimenter et qui doit cesser de fonctionner quand on voit le jour, était demeuré actif. Cette anomalie a eu comme conséquence un refus de m'alimenter, de garder quelque nourriture que ce soit. J'aurais pu en mourir. On m'a donc fait des traitements de radiothérapie pour que cela rentre dans l'ordre. Les doses de radiothérapie de l'époque étant, au dire du médecin, beaucoup plus exhaustives qu'aujourd'hui, des doses de cheval selon l'expression populaire qu'il a employée, celles-ci pourraient être en partie responsables du cancer dont je suis atteinte. De plus, quand on apprend que le thymus est la première glande susceptible d'être touchée dans les cas de lymphome, tout devient clair, tout se tient. Voyez-vous le rapport ? Je m'explique : avec l'arrivée du cancer, j'ai, comme aux premiers mois de ma vie, l'occasion de choisir entre la vie ou la mort. À la différence près que, cette fois-ci, je n'opte pas pour la survie, mais bien pour la vie. Quand, de surcroît, on sait que le thymus est le siège métaphysique de l'âme, qu'à cet endroit précis du corps humain est rattaché le cordon d'argent (lien qui fait la différence entre la vie et la mort qui, elle, survient lorsque ce lien est rompu), on comprend encore plus la symbolique de cet enchaînement d'événements dans ma vie aux couleurs spirituelles. J'aurais donc pu choisir de mourir... ou bien...

J'aurais pu choisir de demeurer une éternelle blessée de la vie, sans défense... Mais en gagnant mon premier combat pour la vie, je démontrais, ainsi que je l'ai précédemment écrit, un trait de ma personnalité, celui d'une battante. Impossible dans ces conditions de rester toute une vie à regarder passer le train. J'ai donc décidé de me battre. Il m'est aujourd'hui plus aisé de comprendre pourquoi j'avais toujours besoin d'un horaire très chargé. Celui-ci me permettait tout simplement de me sentir vivante. Il m'est également plus facile de comprendre ma volonté de ne pas déprimer et de n'afficher aucune tristesse. Ce déni remonte à ma naissance ou presque ; il venait m'aider à survivre. J'aurais pu choisir de demeurer une éternelle blessée de la vie en totale dépendance... mais j'ai opté pour la troisième solution...

Choisir de tout enfouir et de survivre... Voilà donc, bien en place pour au moins 50 ans, le premier élément de mon système de défense.

Deuxième observation : faire semblant

Le fonctionnement du système lymphatique s'exerce par la circulation dans tout le corps d'un liquide blanc appelé la lymphe, ou plus communément le sang blanc.

De cette appellation découlent de nouvelles interrogations. Est-ce que je peux remplacer les mots *sang blanc* par *semblant* ? Si oui, est-ce que je fais semblant ? Est-ce que j'ai toujours fait semblant ? Devais-je faire semblant ? Pourquoi aurais-je fait semblant ?

J'ose affirmer que l'on peut remplacer *sang blanc* par *semblant*. De plus, j'ose répondre oui, j'ai fait semblant. Bien in-consciemment évidemment, mais il n'en reste pas moins que j'ai fait semblant pour pouvoir passer à travers la vie.

Puisque j'avais choisi de survivre, le seul moyen à ma portée était de faire semblant. Faire semblant en camouflant ma sensibilité et ma vulnérabilité. Faire semblant que je suis capable... parce que je ne veux pas être jugée incapable, ce serait trop dur à assumer. Faire semblant que je suis heureuse... parce que ça ne se peut pas qu'avec tout ce que j'ai, j'ose dire que je suis malheureuse. Faire semblant que tout est *cool*... parce que ça ne se peut pas que je sois si stressée, si angoissée, si nerveuse, si, si, si à propos de tout et de rien. Faire semblant d'être celle qu'on a voulu que je sois, adaptée, convenable, aimable, serviable, une vraie petite fille modèle... parce que ça ne se pouvait pas que j'affiche tout ce que j'étais, une enfant craintive, timide, méfiante, qui avait peur de tout. Faire semblant d'être une adulte sensée, sérieuse et responsable... parce que ça ne se peut pas que je sois si extravagante, si rebelle, si artiste. Comment aurait-on pu m'aimer ainsi ? Les critères de ce qui était aimable et de ce qui ne l'était pas étaient tellement imprimés en moi par la société et par l'éducation que j'ai malheureusement cru qu'il me serait impossible de me montrer sous mon vrai jour. Non, il valait mieux être comme je croyais qu'on voulait que je sois. Dans ces conditions, il est facile de comprendre ma difficulté à m'aimer moi-même. D'ailleurs, comment aimer quelqu'un qu'on ne connaît pas vraiment ?

Un rêve fait à la même époque ainsi qu'une mésaventure sur un lieu de tournage m'ont renvoyée à une série de souvenirs liés directement à faire semblant.

Rêve d'une autre nuit de mai 1994

PEUR D'UN PETIT CHIEN

Je marche dans un champ à la campagne et j'aperçois devant moi un tout petit chien attaché par une grosse chaîne à une grande niche. Je sens monter une peur en moi et je fais un grand détour afin d'être sûre de ne pas me faire mordre par lui. L'émotion que je ressens est vraiment la peur de me faire mordre par le chien.

Ce rêve a suivi de très près une mésaventure que je me dois de relater ici. Lors du tournage d'un documentaire sur les pompiers volontaires, je jouais le rôle d'une femme dont la maison était incendiée. Selon le scénario, mon conjoint et moi, alors au lit, étions réveillés par un berger allemand venu nous avertir qu'il y avait le feu dans la maison. Nous tournions dans une maison privée où vivaient deux impressionnants labradors noirs. Imaginez, à cette époque, j'étais propriétaire d'un chien terrier, et mon mari et moi avions eu des chiens esquimaux pendant 12 ans ! Je me suis mise pourtant à avoir peur, une peur bleue, de ces labradors. Je faisais des pieds et des mains pour m'en éloigner et pour les éviter, sans qu'il n'y paraisse rien, évidemment. J'utilisais tous mes trucs de gestion du stress pour ne pas faire une crise de nerfs, là, sur-le-champ. *« Quelle belle démonstration de faire semblant ! Félicitations ! D'où cette peur peut-elle bien venir, Catherine ? Toi qui as toujours aimé les chiens ! Es-tu sûre que tu as toujours aimé les chiens ? »* Heu ! ouuuuuuui, enfin je crooooooois...

Et pourtant ! Le rêve du petit chien a fait remonter le souvenir d'une aventure survenue un après-midi d'été sur les plaines d'Abraham, à Québec. J'avais alors quatre ans. Nous étions, il me semble, plusieurs enfants à y pique-niquer avec nos mères. Nous nous sommes éloignés pour jouer et, peut-être parce que je me suis trop éloignée, un chien s'est approché de moi sans que personne intervienne. J'ai tendu la main pour jouer, il en a profité pour me mordre tellement fort que j'en porte encore la cicatrice aujourd'hui. J'ai crié, j'ai pleuré, j'ai ressenti le besoin qu'on me réconforte et qu'on s'occupe de moi. Même si tous se sont évertués à me dire que le chien n'était pas méchant, que tous les chiens sont de bons gros toutous mais qu'il ne faut pas les approcher de trop près ni les toucher, cette mésaventure a créé en moi la peur des chiens et je savais que cette peur était là pour longtemps.

Je me suis rappelé non seulement cet événement, mais toutes les fois où j'ai fait semblant de ne pas avoir peur en croisant un chien sur la rue. Toutes les fois où j'ai fait semblant de ne pas avoir peur quand nos gros chiens m'approchaient de trop près. J'ai tant de fois enfoui cette peur des chiens que je n'en avais même plus le souvenir conscient. Il a fallu cette démarche entreprise pour me rapprocher de mes émotions et la présence de ces chiens sur le tournage pour que cette peur revienne à ma mémoire. Quant au rêve, il se passe d'analyse détaillée ; il ne venait que confirmer cette peur refoulée dans le contexte de vie dans lequel j'étais à ce moment-là. En mettant en scène un tout petit chien avec une grosse chaîne et une grande niche, avec moi qui fais en plus un grand détour, mon rêve tentait, par le ridicule de la chose, d'attirer mon attention sur ma peur des chiens. D'autres souvenirs liés à la peur ont en même temps refait surface : jeune, ma peur du père Noël, ma peur de l'eau et celle, tout à fait irrationnelle, de la jambe de plâtre de mon frère ; adolescente, ma peur des masques hideux de l'Halloween et celle des impressionnants et immenses personnages de la parade du carnaval à Québec... peurs, peurs, peurs. Je n'en ai jamais vraiment parlé, personne n'en a jamais rien su. J'avais beaucoup trop peur de ce qu'on allait penser de moi, alors...

J'ai fait semblant... Voilà donc en place, pour au moins 50 ans, le deuxième élément de mon système de défense.

Troisième observation : l'isolement

Tout en faisant cette analyse, je ne peux m'empêcher de mettre en parallèle mon don d'*extraperception* et d'intuition allant jusqu'à la *clairsentience*. J'entends par clairsentience la capacité d'entrer instantanément en contact avec le ressenti et le vécu émotionnel des gens que je côtoie. Cette capacité, qui me rendait sympathique aux émotions de tous, me distrayait de mes propres émotions en ne me faisant vibrer qu'à celle des autres. *« Belle mesure de protection contre toi-même, Catherine. »* Oui, je sais, mais maintenant que j'ai fait tout ce chemin vers mes propres émotions, il m'est plus facile de côtoyer celles des autres sans pour autant en être imprégnée. Dans le langage utilisé en psychologie, je dirais que j'arrive maintenant à être empathique plutôt que sympathique.

Toutes ces prises de conscience m'ont amené beaucoup de rêves de participation à toutes sortes de causes et d'œuvres caritatives qui symbolisent bien l'absence d'engagement émotif envers moi-même, m'empêchant d'être totalement engagée dans quoi que ce soit d'autre. En voici un exemple.

Rêve du 27 novembre 1998

MISSION AU HONDURAS

Je suis avec des femmes dont des religieuses ; soudain, l'une d'entre elles me dit de tout laisser tomber, de retourner aux études pour pouvoir faire de l'aide humanitaire. Je suis choisie pour un cours, après lequel il est prévu d'aller au Honduras en train et en camion. Nous arrivons, nous faisons des choses et je m'exécute comme une automate. Je suis mentalement absente, à la remorque, sans initiative, sans plaisir et sans réel engagement. D'ailleurs, je ne sais même pas ce que je fais là.

« Ma chère Catherine, pourquoi obéis-tu spontanément à cette religieuse ? » Eh bien, revoilà un autre exemple de l'empreinte judéo-chrétienne en moi ! Jeunes, nous avons à peu près tous rêvé d'aller en mission pour sauver les pauvres démunis (mon inconscient se sert donc de cette image pour me parler). De plus, à cette même époque et dans cette même société, les

autres savaient beaucoup mieux que nous ce que nous devions faire. Voilà pour le symbole de la religieuse et de mon acquiescement à la cause. *« Pourquoi alors ce sentiment de ne pas être à ta place ? »* Parce que nous avons toutes été élevées à ne penser qu'aux autres ; penser d'abord à nous aurait été égoïste, n'est-ce pas ? De plus, dans les années 1940 et 1950, là où il y avait une femme, il était acquis qu'elle devait se mettre au service des autres, et ce, sans l'avoir vraiment choisi, sans se poser de question. Ce fut là un héritage lourd à porter et qui m'a amenée bien loin de mes propres choix et de mes propres émotions, jusqu'au Honduras. Dans le mot Honduras, il y a les sonorités « honte » et « dur ». Par le premier mot, je comprends que je porte en moi la honte cachée de ne pas avoir répondu à l'appel de la vocation ou de la mission. Dit autrement, je porte en moi la honte cachée de ne pas avoir répondu aux valeurs jugées les plus élevées de l'époque. Par le deuxième mot, je comprends qu'il m'était trop dur d'affirmer pleinement mes choix, donc d'afficher purement et simplement qui j'étais.

Le Honduras, qui est en pleine crise au moment où je fais ce rêve, me ramène à ma propre crise intérieure. *« Et que peux-tu dire de ton apathie ? »* Ne me connaissant pas vraiment, mieux vaut faire quelque chose jugé bien par la société. Mais le rêve me fait bien comprendre que ce n'est pas ainsi que je peux être heureuse. Ce n'est surtout pas en fuyant très loin et en employant toutes sortes de moyens (le train et le camion en sont les symboles) que j'y arriverai.

Comme je n'ai pu, dans ma réalité consciente, m'en aller très loin, j'ai choisi une autre forme de fuite... l'isolement. J'aime la solitude, cela fait partie de ma nature profonde. Heureusement ! car j'ai pu m'isoler sans trop de dégâts. Je dirais même avec des résultats positifs. Je me suis isolée pour ne pas toujours prendre le sort des autres sur mes épaules. Je me suis isolée pour me réserver des moments loin de toute société, de tout contact, de toute communication. Je me suis isolée pour respirer, pour m'entendre penser, pour écouter mon âme, pour me retrouver, pour faire le vide. Je me suis isolée pour me préserver. Dans cet isolement, je me suis occupée de moi. J'ai écrit, j'ai étudié, j'ai peint ; toutes ces activités m'ont menée directement au développement de ma créativité. Dans mon isolement, je suis allée à la rencontre de l'artiste en moi. C'est grâce à ce besoin et à cette capacité de m'isoler régulièrement que j'ai tenu le coup.

M'isoler, m'isoler, m'isoler... Voilà donc en place, pour tout près de 50 ans, le troisième élément de mon système de défense.

Quatrième observation : le positivisme

Je ne peux passer sous silence cette autre défense que j'ai adoptée pour réussir à passer à travers la vie. Ah ! le positivisme ! Parlons-en du positivisme ! À la base, le *think positive* n'est pas mauvais. Ce qui l'est, par contre, c'est la pensée positive pratiquée à outrance, sans égard pour le négatif que l'on vit. C'est facile de pratiquer la pensée positive... On devient fataliste et on remet son sort entre les mains du destin... On dit : c'est un mal pour un bien. Ou encore : c'est pas grave, si ça arrive, c'est que ça devait arriver. Quand ce n'est pas : si je ne l'ai pas, c'est parce que ce n'était pas pour moi. Tout cela sans égard pour le dommage intérieur que ça crée. Oh non ! Il ne faut surtout pas vivre de négatif ! Adopter cette attitude est tellement plus facile que de se responsabiliser, que d'avoir des désirs et de faire des choix, que de les vivre, de les afficher et de les assumer.

La pensée positive à outrance est non seulement une fuite de l'émotion, mais aussi une fuite de notre ombre, de tout ce qui est jugé comme laid par nous et par les autres. Je ne peux être en colère, déçue ou triste et quoi encore, car ce n'est pas bien au sens judéo-chrétien du mot ou ce n'est pas très évolué au sens *new age* du terme.

À l'instar d'Henri Laborit, qui a écrit *L'éloge de la fuite*, je peux aujourd'hui me compromettre en faisant l'éloge du négatif. Le négatif nous met sur des pistes de guérison, mais encore faut-il le regarder en face. Je sais, pour être tombée dans le piège, que rien ne sert d'être positif si on n'a pas d'abord regardé le négatif, ce qui fait mal, ce qui fait souffrir. Il est impératif de s'y arrêter afin d'évacuer et de guérir l'émotion au lieu de l'enfouir sous un positivisme enthousiaste. La pensée positive ne peut être efficace que si elle vient au bout d'une introspection sur un malaise, et ce, afin de s'en libérer. La vraie philosophie du *think positive*, c'est de ne pas rester constamment dans le négatif, de ne pas le brasser indéfiniment, s'y vautrer et n'exister que par lui. Avant ma période positiviste, il fut pour moi un temps de négativisme. Il fut un temps où, à la blague, j'arrivais au travail en disant que j'ajoutais un chapitre à mon livre *Les malheurs de Catherine*. Comme si je n'existais et n'étais intéressante que par les malheurs que je vivais... À n'exister que par ses malheurs, on s'en crée... Heureusement, cette période est révolue.

La pensée positive partout et en tout temps... Voilà mis en place, pour moins de 50 ans tout de même, le quatrième élément de mon système de défense.

Pendant toutes ces années, mon âme n'a cessé de crier. Au secours ! j'étouffe ! Et c'est parce qu'elle a crié assez fort que je n'ai cessé de chercher le moyen de la libérer. Jour après jour, j'ai souhaité me rapprocher d'elle, j'ai souhaité lui laisser la chance de s'exprimer. Fort heureusement, malgré cette mécanique d'autodéfense bien huilée, il y a eu place pour les *eurêka !*, les prises de conscience et les découvertes. Il y a eu place pour l'acquisition de connaissances et le développement de mon intuition. Il y a eu place pour l'artiste en moi. Il y a eu place pour la rencontre d'êtres exceptionnels, sortes d'anges mis sur mon chemin pour me guider, me soutenir et m'aimer comme j'étais. Heureusement, il y a eu aussi place pour... l'événement du 28 février 1998 et ce qui s'ensuivit. Il y a eu aussi place pour l'arrivée de... **CE MESSAGER D'AMOUR ET DE RECONNAISSANCE DE MOI QU'EST LE CANCER !**

EN PLEINE MUTATION !

Automne 1998

Pour en finir avec la symbolique du cancer, un jour d'octobre 1998, mon fils Simon, étudiant en biologie animale, me dit :

— Catherine, savais-tu que le requin est le seul animal qui a complété sa mutation ?

— Explique-moi...

— Le requin ne peut mourir que de vieillesse ou en étant tué, mais jamais de maladie puisqu'il a totalement complété sa mutation.

Mon fils Simon, qui est plutôt *Teflon*, ne se répand jamais en détails. Il dit les choses et attend que l'on vienne vers lui pour continuer. Ça m'a pris beaucoup de temps à comprendre cet aspect de sa nature. C'est *La Prophétie des Andes*, de James Redfield, qui m'a mise sur la voie de la compréhension. Ce livre nous apprend à nous situer dans nos rapports avec les autres et à situer les autres dans leurs rapports avec nous. L'auteur y définit très bien les comportements humains qu'il partage en quatre grandes catégories. Il nous suggère une série de questions à nous poser pour bien comprendre nos propres attitudes relationnelles. Le jour où je me suis interrogée sur les « Suis-je ou sont-ils intimidateurs, interrogateurs, indifférents ou plaintifs ? » et où j'ai pu répondre honnêtement à ces questions, j'ai compris mes propres modes de fonctionnement ainsi que ceux des autres, et une bonne partie de mes difficultés relationnelles s'en sont trouvées réduites. Quand je pense que j'ai quitté le père de mes trois enfants parce que, entre autres causes, son indifférence me faisait mal et parce que, entre autres réactions, la mienne en était une de plaintive ! Je ne suis pas en train de dire qu'il n'y aurait pas eu divorce si j'avais su cela ; je pense tout simplement que j'aurais sans doute divorcé en toute connaissance de cause et en répartissant mieux nos torts et nos responsabilités. Je crois aussi qu'à la lumière de ce que je sais aujourd'hui par rapport à l'indifférence, cette séparation se serait peut-être passée avec moins de souffrances de part et d'autre. « *Quelle digression as-tu encore faite, Catherine !* » Que voulez-vous ? C'est ainsi que je vis ma vie. Je la vis, comme le disent les ados d'aujourd'hui, avec *full* sentiments, tous sous-jacents, mais ô combien moteurs de mes pensées et de mes actes ! Où en étais-je ? Ah oui, au requin et à Simon qui attend tout bonnement que je manifeste un intérêt.

— Qu'est-ce que tu entends par mutation ?

— Ce que je veux dire, c'est que le requin a, au fil des siècles, contracté toutes les maladies et les a toutes vaincues en développant, au fur et à mesure de son évolution, un système de défense adéquat. Il se trouve donc maintenant immunisé contre elles. C'est un bel exemple de mutation naturelle liée à l'évolution et non provoquée par des produits chimiques.

— Est-ce qu'il y aurait un lien entre ce que tu me dis et les nouveaux traitements à base de foie et de cartilage de requin que l'on administre à titre expérimental dans certains hôpitaux à des personnes atteintes de cancers avancés ?

— Oui, il y a un lien. C'est encore expérimental comme démarche, mais on croit qu'en introduisant des cellules entièrement mutées chez une personne atteinte, on pourra aider son système régénérateur à réapprendre à produire des cellules saines plutôt que des cellules anarchiques.

— À l'hôpital, on nous parle de dérèglement de la cellule.

— Oui, c'est cela l'anarchie, le chaos, le désordre, l'absence de contrôle et de règles. On sait que, dans le cas du cancer, certaines cellules se mettent à se reproduire tous azimuts, sans arrêt et dans le désordre total. Le but des traitements contre le cancer, quels qu'ils soient, même expérimentaux comme avec le cartilage de requin, est d'enrayer cette reproduction anarchique afin qu'elle ne mène pas au chaos et, en bout de ligne, à la mort. D'ailleurs, dans certains articles et livres traitant du cancer et issus du milieu alternatif, on ose dire de plus en plus que le cancer est une maladie de mutation. Les cellules mutent en transformant leur fonctionnement initial en un autre fonctionnement. Là où est le problème, c'est que cet autre fonctionnement finit par prendre toute la place par rapport au fonctionnement normal, d'un organe d'abord, puis de tout l'organisme quand on n'intervient pas.

« Ah là, c'est le bouquet ! Catherine, voilà l'élément qui manquait à ta totale compréhension de la maladie. » Oui, voilà ma réponse ! Je suis en pleine mutation, en pleine transformation, j'oserais dire en pleine transmutation. C'est super ! Si je réussis à changer le fonctionnement de mes cellules qui appellent la maladie, en appel à la vie, je serai une nouvelle personne. Si je réussis à *reprogrammer* la régénération de mes cellules, je serai totalement changée, jusque dans mon ADN... *« Wo ! Wo !... Ma belle... Attends une minute, tu viens de parler de positivisme à outrance, ne tombe pas encore dans le piège ! »* C'est bon... mais puis-je exulter un peu ?

Je suis vraiment contente, je suis sûre de l'interprétation que je fais de la maladie, je suis persuadée de la justesse du constat que je fais. Le cancer est là pour me permettre de me transformer. Je suis en pleine mutation ! Il n'en tient qu'à moi de gérer cette mutation pour la vie et non pour la mort. Yaouuuu ! *« Oui, c'est un fait, Catherine, mais évite de partir en peur, de grâce ! Maintenant que tu en saisis la symbolique, que vas-tu faire ? Réfléchis bien !* » Ça va, je ne pars pas en peur ! Voyons un peu, que vais-je faire de cette nouvelle compréhension ?

Il s'agit maintenant de mettre de l'ordre là-dedans afin d'éviter, c'est le cas de le dire, le chaos. Mettre de l'ordre sur le plan psychologique comme dans « psychothérapie » et sur le plan biochimique comme dans « chimiothérapie ». M'approprier totalement ces traitements, me responsabiliser face à eux et face à mon choix de guérir et de vivre. Participer à la mutation, à la transformation en profondeur et ne pas reculer devant la besogne à accomplir. Concrètement, je puis vous dire que tous les événements qui se sont présentés à moi depuis quelque temps me reviennent à l'instant en mémoire et me font clairement voir le travail de mutation qui est en train de se faire. En voici quelques exemples :

Je crains d'aborder le premier sujet qui me vient à l'esprit, car il est, selon certains, un peu *flyé* et j'ai peur... Eh oui ! je ne suis pas parfaite ! Il m'arrive encore d'avoir peur, de ne pas me faire totalement comprendre en y faisant allusion. Et pourtant... Plus j'y pense et plus le sujet s'impose à moi, plus je crois qu'il faut que j'en parle. « *Allez, Catherine, écoute ce qui monte, si tu n'essaies pas tu ne sauras jamais.* » C'est bon, je plonge. On verra bien !

Mardi 12 octobre 1999

Me voici donc, un beau mardi soir d'octobre, en groupe de méditation. J'ai joint ce groupe dans le but très précis d'entrer de plus en plus en contact avec ma vérité intérieure, mon intégrité, mon âme. Je médite et je visualise seule mais, croyez-moi, l'énergie du groupe aide beaucoup à s'élever et à atteindre un haut niveau de conscience.

Afin d'éteindre dans l'œuf les remarques et les objections qui pourraient vous venir à l'esprit, du genre « Fait-elle partie d'une secte ? » ou toute autre question de même acabit, je vous répondrai tout de go que je n'ai joint les rangs d'aucune secte. Pourquoi croyez-vous que les religions, les partis politiques, les syndicats et les regroupements sociaux, par exemple, organisent régulièrement des manifestations, comme la messe, des assemblées, des fêtes et autres formes de rassemblement où se retrouvent fidèles, disciples, partisans, amis ? Posez-vous la question. Pourquoi cette pratique est-elle aussi répandue, et ce, depuis des siècles et des siècles ? Eh bien, tout simplement parce que l'énergie de chacun des individus formant un groupe fusionne avec celle des autres. Cette fusion crée une force telle qu'elle élève l'esprit du groupe, selon le but visé par les membres qui en font partie ; elle peut aussi l'abaisser, à preuve les émeutes et les suicides collectifs. En élevant l'esprit du groupe tout entier, cette fusion des forces énergétiques positives en présence influence d'autant le taux vibratoire de chacun des membres de ce même groupe. La méditation en groupe est un excellent et efficace moyen de communication avec notre force intérieure, notre Sagesse, notre Grand Soi... Rassemblez-vous et vous constaterez la même chose que moi. Je vous jure que je ne suis pas *flyée* en écrivant cela. La psychologie même fait allusion à cela en utilisant les termes de surmoi et de supraconscience. Elle connaît aussi les bénéfices de la méditation et de la visualisation en groupe. Ne lâchez pas, j'arrive aux faits...

Or donc, en ce beau mardi d'octobre, nous sommes sept personnes à méditer. Comme chaque mardi, nous arrivons tous et toutes avec notre lot de préoccupations. Louise, après la méditation, canalise et extériorise une énergie qui, en quelque sorte, est la concentration de toutes nos énergies de sagesse divine en présence. La rencontre a toujours au moins deux buts. Premièrement, elle nous permet de prendre conscience de nos préoccupations de l'heure et de les verbaliser ; deuxièmement, elle nous permet de choisir nos propres solutions d'action par rapport à nos questionnements. Ce jour-là, ma préoccupation est de taille.

Depuis déjà un bon moment, mais surtout depuis la naissance de ma petite-fille Pascale, je suis tarabustée par la réaction de Geneviev, ma fille et la mère de Pascale. Elle me paraît peu armée pour la vie tant elle est déjà si fatiguée. Je la trouve démunie vis-à-vis de la famille qu'elle bâtit et de la lourde responsabilité qu'elle se crée. Elle me ramène à ma vie et à ma propre responsabilité envers chacun des enfants à qui j'ai donné le jour. Elle me pousse à regarder bien en face ce miroir qu'elle me reflète. Je sens tellement et si fortement qu'elle se fait la même vie que moi, les mêmes souffrances que moi et les mêmes rêves que moi. C'est ahurissant ! Dieu veuille qu'elle observe le modèle et qu'elle en casse le moule. Or donc, même si je sais que je dois lui laisser découvrir tout cela par elle-même, je ne me demande pas moins comment il me serait possible de contribuer à son mieux-être et à son bonheur. Je pose donc ma question très clairement.

— Comment puis-je aider Geneviev ?

— Par le toucher ! Touchez vos enfants, vos petits-enfants, vos proches ; c'est une excellente façon d'exprimer l'amour humain et d'abattre les barrières. C'est aussi une excellente façon de créer des liens.

Encore une fois, me voilà estomaquée ! COMME J'AI MAL À MON TOUCHER ! Dans cette douleur, je constate que je n'ai aucun souvenir d'enfance lié au toucher de mes parents. Je ne porte ici aucun jugement sur eux. À cause sans doute de l'éducation reçue, leur amour ne s'exprimait tout simplement pas comme ça. Quant à mes souvenirs de touchers d'adolescente, ils ne sont que sexuels. En effet, à partir d'un certain âge, la puberté dirons-nous, les touchers affectifs et les gestes de tendresse étaient bannis, car nous, devenues femmes, représentions automatiquement l'objet ou le sujet de tentations... « Tu es grande, maintenant ! » nous disait-on. Comment, devant cet état de fait, ne pas comprendre que le toucher était lié au sexe ? Je me rends bien compte aujourd'hui que ce fut là ma seule référence affective jusqu'à la naissance de mes enfants. Là, par contre, je me suis reprise. Que de caresses, que de câlins, que de jeux où le toucher était toujours présent ! J'AI MAL... et dans cette douleur, je constate un puits sans fond de manque d'affection et de tendresse à combler. Je me rappelle les fins de souper avec mes enfants, avant le divorce. En m'assoyant sur les genoux de Louis, leur père, je disais : « Maintenant, je prends mon dessert. » À ce souvenir, j'ai les larmes aux yeux ; il m'est heureux et douloureux à la fois. Par ce souvenir, je prends conscience que, depuis mon divorce, j'ai à peu près bloqué tous les touchers affectifs autres que sexuels. Je m'aperçois que j'ai bloqué ces touchers, particulièrement avec mes enfants. COMME J'AI MAL ! J'AI MAL ! Mais je sais profondément que si, à cette époque, j'avais touché ces enfants que j'aime tant, cela m'aurait empêchée de faire tous ces pas en avant, toutes ces démarches vers ce rendez-vous avec moi-même auquel j'aspirais tant et vers lequel je fonçais tête baissée, comme poussée par une certitude, par une obligation que je ne pourrai jamais expliquer clairement et complètement.

Je me rends compte aussi que, depuis l'annonce du cancer, ce sont ces touchers inévitables avec mes amis qui m'ont mise sur le chemin des vieilles peines et des larmes guérisseuses. Ce sont ces touchers qui m'ont ramenée dans le cœur, qui m'ont rendue plus compatissante, plus humaine, plus, plus, plus... J'ai fait depuis un stage intensif en *Hug Therapy*. Comme le dit si bien Kathleen Keating, dans son livre *The Hug Therapy Book* : « Le toucher est un instinct, une réponse naturelle au sentiment d'affection, de compassion, de besoin et de joie. Le toucher est aussi une méthode simple de soutien, de guérison et de croissance qui donne de remarquables résultats. » Nous pouvons tous devenir d'excellents thérapeutes du toucher.

Mais au moment de cette révélation, je me préoccupais plus du comment réussir à faire ce rapprochement avec mes enfants maintenant qu'ils sont des adultes et que Sylvie est si loin. J'AVAIS MAL ET J'AVAIS PEUR DE NE SAVOIR COMMENT

FAIRE... J'ai cherché et j'ai compris que je pouvais, si je le désirais, remplacer la gêne et la timidité qui m'habitaient, par le grand sentiment d'amour qui se trouvait dans mon cœur et tenter d'ouvrir tout grand les bras... J'ai ouvert les bras, un peu... Il me reste cependant tant de chemin à parcourir et de retards à rattraper. « *Comme tu as changé, Catherine! C'est vraiment la mutation! Peux-tu croire que tu n'as plus de réticence à toucher ceux que tu aimes? Peux-tu croire que, par le fait même, tu ne pourras plus toucher l'autre ou te laisser toucher sans réserve, tant et aussi longtemps que tu ne t'aimeras pas totalement et que tu n'aimeras pas l'autre profondément?* » Oui, je le crois, je le constate chaque jour de plus en plus.

Peut-être alors ne referais-je plus le rêve de l'enfant handicapé? Ce rêve récurrent, je l'ai toujours interprété comme une difficulté à exprimer ma créativité, alors qu'il fait allusion à ma difficulté de toucher et de prendre dans mes bras. J'aurais pourtant pu m'en douter car, quand un rêve se répète, il traite beaucoup plus d'un traumatisme non réglé que d'un trait de personnalité non exprimé. Enfin, vaut mieux tard que jamais!

Rêve de la nuit du 8 septembre 1999

L'ENFANT HANDICAPÉ

Je suis dans une maison, j'ai à peu près 12 ans et je garde des enfants. J'ai l'impression que ce sont des frères et des sœurs, et je joue à la mère avec eux. À un moment donné, un bébé naissant pleure. Je m'approche de son berceau, je le prends dans mes bras, il est emmailloté. Je décide de lui donner son bain et quand je le déshabille, il n'a pas de bras. Je me fais alors la réflexion que je devrai l'aimer encore plus fort que les autres à cause de ce handicap.

Comment toucher quand on est sans bras ? Et comment en suis-je arrivée à ne pas avoir de bras ? Pour que ce manque apparaisse dans mes rêves comme un traumatisme, il a fallu que ce me soit très souffrant. Pour que cela se présente sous les traits d'un bébé handicapé, il a fallu que je sois en manque très jeune. Le rêve me ramène dans un contexte familial, en raison de la présence des frères et des sœurs, et dans un contexte parental, parce que j'y joue à la mère, mais avec une émotivité d'enfant de 12 ans. Une piste maintenant facile à suivre, n'est-ce pas ? Parmi tant d'autres événements soulignant cette mutation qui s'opère, en voici un tout aussi éloquent.

Été 1999

En août de l'été 1999, au retour d'un séjour d'un mois dans la baie des Chaleurs et après mûre réflexion sur ma situation financière et sur ma capacité à entretenir une grande maison, je décide de vendre ma propriété et j'entreprends les démarches nécessaires à cette transaction.

Comme j'ai déjà pris cette décision à deux reprises et fait le nécessaire sans qu'il se présente d'acheteur, je tiens pour acquis que, cette fois-ci, ça se passera de la même façon. Eh bien, non ! L'Univers n'avait pas dit son dernier mot. En un temps record, ma maison se retrouve vendue et moi, je me retrouve dans tous mes états : joie de vendre, peine de perdre ce bien qui m'est cher et peur de l'inconnu qui en découle. Heureusement, j'obtiens encore ce que j'ai demandé : un acheteur qui accepte mon prix, qui me laisse l'année pour déménager et me reloger, et qui ne me fera pas de misères après la vente. Ainsi, au moins, je n'aurai pas à gérer, comme dans une vente précédente, les émotions d'urgence, de frustration matérielle, d'impuissance et d'irrespect qui ont découlé de vices prétendument cachés. Ma cour émotive est déjà assez pleine comme ça.

Je suis, comme il se doit, ravie de ce qui m'arrive. Je l'annonce à tout le monde. Tous s'entendent sur un fait : cette vente est une excellente chose pour moi. Je dis oui, bien sûr. Comment pourrais-je dire non à un événement que j'ai désiré ? Mais le cœur n'est pas à la fête. Que m'arrive-t-il ? Pourquoi est-ce que je réagis ainsi ? Je prends mon mal en patience et je me dis que ça passera. En somme, je me raisonne ! Pourtant, me voilà de jour en jour plus angoissée, stressée et anxieuse. Je suis obsédée par le déménagement, par le quartier à choisir et par le prix des loyers. J'ai, il me semble, de très bonnes raisons de m'inquiéter ! Ne trouvez-vous pas ? « *Mais on est au mois de septembre, Catherine. Tu as huit mois pour t'organiser. Pourquoi te presses-tu ainsi ? Qu'est-ce qui t'arrive ?* » Je ne sais pas ce qui m'arrive. Tout ce que je sais, c'est que je n'arrive plus à vivre l'instant présent. Celui-ci est complètement meublé d'un futur qui me préoccupe, et ça dure comme ça un bon moment. Jusqu'au jour où, au volant de ma voiture, à l'écoute d'une musique douce et mélancolique, je me mets à pleurer à chaudes larmes, des larmes de peine sur lesquelles je m'interroge. Heureusement, je suis en route pour ma séance de thérapie hebdomadaire.

Avec l'aide de ma thérapeute, je me rends vite compte que, ce qui s'exprime, c'est la peine de quitter ma maison que j'aime. C'est la peine de voir mon rêve de maison familiale s'écrouler et de n'avoir plus d'espace assez grand pour recevoir tous les miens. À ressentir tant de peine, j'ose me demander si j'ai pris la bonne décision. J'ose avoir peur de m'être trompée et d'avoir précipité les choses. En somme, j'ose regarder ce qui meuble mon instant présent. J'ose regarder ce qu'il faut regarder : l'émotion du présent. Je décide donc de m'engager complètement dans cette émotion. Je me permets de vivre le questionnement, la peur et le regret. Je me permets de pleurer ma maison, jusqu'à ce qu'il n'y ait plus de larmes.

C'est alors que je fais une merveilleuse prise de conscience... ON ANGOISSE, ON STRESSE, ON S'INQUIÈTE POUR

LE FUTUR, ON PLEURE LE PASSÉ, ON RATIONALISE ET ON SE TROUVE DE BONNES RAISONS D'AGIR AINSI, QUAND ON REFUSE DE VIVRE LE MOMENT PRÉSENT AVEC SON LOT D'ÉMOTIONS, QUAND ON A PEUR D'AFFRONTER CES ÉMOTIONS ET DE LES EXPRIMER, QUAND ON A PEUR D'AVOIR À LES JUSTIFIER DEVANT LES AUTRES... Alors il faut bien les enfouir, les bâillonner, et quoi de mieux que de vivre d'autres émotions à la place, des émotions qui sont souvent mieux comprises par notre entourage. Je suis d'autant plus convaincue de cette découverte que plus j'avance dans le processus de guérison de cette peine, moins j'angoisse sur le déménagement et ses conséquences. Comme je me sens légère et heureuse malgré cette tristesse ! Comment ai-je pu, pendant toutes ces années, sauter cette étape si importante de la vie, qui est de vivre le présent quel que soit ce qu'il nous offre à vivre ?

Une autre prise de conscience tout aussi révélatrice se présente à moi... À REFUSER DE VIVRE LES ÉMOTIONS NÉGA-TIVES DU PRÉSENT, J'EN AI AUSSI CHASSÉ TOUTES LES JOIES QU'IL M'APPORTAIT, TOUT LE PLAISIR QU'IL ME PROCURAIT... Je comprends maintenant pourquoi la vie m'était devenue banale. Je comprends pourquoi le « à quoi bon vivre ? » occupait régulièrement mes pensées. Je comprends que c'est de là que m'est venu ce manque de goût de vivre ! Comme toutes les pièces du casse-tête se mettent en place et comme la mutation est agissante ! « *Ma belle, cette thérapie n'est pas un luxe. Il te faut regarder une à une toutes les émotions que tu as mises de côté pendant tant d'années et les guérir. Il te faut t'habituer à vivre l'instant présent afin de retrouver la capacité de rire et d'avoir du plaisir à vivre. Catherine, tu ne peux être toute à la joie si tu n'es pas toute à la peine ! Quel futur peux-tu envisager, si tu ne peux envisager le présent dans son entièreté ? N'oublie pas que c'est le présent qui crée le futur. Si ton présent est vide, ton futur sera tout aussi vide.* » Ces deux prises de conscience sont accompagnées de plusieurs rêves traitant du sujet et confirmant la situation. À ce titre, en voici un qui parle par lui-même.

Rêve de la nuit du 15 octobre 1999

AU THÉÂTRE

Je rêve de Mme Yvette Brind'Amour a un âge assez avancé. Elle désire relever le défi de savoir encore danser. Le président de l'Union des artistes, Pierre Curzi, accepte de mettre les services de l'UdA à sa disposition et me charge d'organiser cette soirée. Mme Brind'Amour décide de faire deux représentations supplémentaires. Je ne profite de rien, je passe le rêve à faire les comptes et à chercher des factures de frais pour me les faire rembourser après la représentation.

Il me semble d'abord nécessaire de dire que j'ai déjà joué au théâtre avec Mme Brind'Amour et qu'au moment où je fais ce rêve, je suis encore beaucoup impliquée, en tant qu'administratrice, au sein de l'Union des artistes. Quant à l'analyse que j'en fais, elle est tout à fait pertinente.

Jouer au théâtre, cela implique nécessairement une notion de plaisir ; le nom même de Mme Brind'Amour fait référence à une émotion de plaisir ; le fait de vouloir encore danser à un âge assez avancé est un exemple frappant du goût de vivre. Pierre Curzi, que je vois régulièrement, représente à mes yeux l'exemple parfait du bon vivant. Je me réserve le rôle d'organisatrice, de responsable aux prises avec les tâches arides. Qui plus est, je passe toute la représentation à faire les comptes, au lieu de participer au plaisir de celle-ci. Je n'y suis aucunement obligée. Je le fais parce que j'angoisse en pensant au futur. J'aurais bien pu faire les comptes après le plaisir de la représentation, mais mon habitude à ne pas profiter de l'instant présent me fait passer par-dessus cette joie, cette émotion du moment de la représentation. D'ailleurs, le simple fait de dire, en racontant le rêve, que je ne profite de rien, m'indique tout de suite le filon à suivre.

C'est à vivre ces événements et à faire ces rêves que je peux dire : le moment présent est notre champ d'actions. C'est aussi à voir les semaines et les mois qui viennent de s'écouler que je peux affirmer haut et fort : **JE SUIS EN PLEINE MUTATION !**

DUR, DUR, LE PLAISIR !

Automne 1996

Les temps sont durs, à tel point que nous sommes tous, sur cette belle boule bleue, à la merci de la déprime et du découragement, quand ce n'est pas du surmenage et du *burnout*. Le chaos politique, social, écologique et, surtout, économique dans lequel nous sommes tous, habitants de la terre, nous amène sans cesse à remettre nos plaisirs à plus tard. Cette société, où rentabilité et efficacité sont devenues les mots d'ordre, ne juge comme bons et acceptables que les gens qui se donnent sans compter — et dans le total déséquilibre — à leurs ambitions professionnelles et matérielles. *« Et dire, Catherine, que tu fais partie de ces* babyboomers *qui devaient constituer la société des loisirs ! Tu n'as jamais eu si peu de temps pour aller jouer dehors. »* Oui, je le sais. On peut affirmer sans crainte de se tromper qu'au cours de la dernière décennie, pour la majorité des individus bien pensants, le plaisir et le temps du plaisir ont été sans cesse reportés à plus tard, toujours à plus tard... On peut même affirmer que chacun aspire au moment où il cessera de reporter le plaisir à plus tard.

Vous êtes-vous déjà demandé pourquoi, depuis plusieurs années, il y avait recrudescence de casinos, de loteries, de spectacles d'humour et d'émissions de télévision où le rire est incontournable ? Eh bien, moi, je l'ai fait. Je crois que cette situation est le résultat de notre grand sens des responsabilités et du devoir. C'est vrai. Nous devons tellement être sérieux partout dans notre vie qu'il faut bien lâcher notre fou quelque part ! D'ailleurs, *le fou* se lâche socialement partout. L'augmentation des drames familiaux, des tueries, des guerres, du trafic et de la consommation de stupéfiants, des conflits syndicaux agressifs, des perversions et quoi encore, en est peut-être la preuve. Nous n'en pouvons tout simplement plus de courir après le bonheur et d'espérer des jours meilleurs.

À voir son plaisir et ses sources de plaisir diminuer de plus en plus, on développe le syndrome du manque de plaisir de vivre. J'ose affirmer que du manque chronique de plaisir de vivre, au besoin de nous sentir tout simplement vivants, en passant par la nécessité d'évacuer un trop-plein de stress, nous recourons aux plaisirs de plus en plus obsessifs, compulsifs et débridés, et ce, de façon tout aussi déséquilibrée que ne l'est le reste de notre vie.

Si on peut dire « le plaisir croît avec l'usage », on peut aussi dire « le déplaisir croît avec l'usage ». En d'autres termes, cela signifie que moins nous éprouvons de plaisir, moins nous sommes aptes à nous en procurer facilement. Cela ne s'arrête malheureusement pas là. Quand une situation de déplaisir perdure, elle nous entraîne inévitablement vers l'incapacité toujours grandissante de parvenir à la joie et au rire dans notre vie. Comme pour la mémoire que l'on doit exercer afin de la conserver, il est bon de pratiquer le plaisir pour le stimuler. S'exercer au plaisir pour en éprouver plus, encore plus, voilà la clé. Beaucoup de personnes de ma génération ne sont pas des ardents pratiquants du plaisir, si vous voyez ce que je veux dire. C'est là le drame ! En tout cas, ce fut là une partie de mon drame et une des causes de ma descente aux enfers.

Commençons par le commencement. Nous naissons avec une nature disposée à la joie, au bonheur et au plaisir. Il n'y a qu'à regarder l'enfant agir dans les toutes premières années de sa vie pour s'en rendre compte. Cependant, vient très vite le moment où on lui apprend à devenir responsable et sérieux.

Il se fait constamment répéter : la vie n'est pas un jeu, c'est sérieux la vie ! Ce lavage de cerveau commence très jeune dans beaucoup de sociétés dites évoluées. Pourquoi, pensez-vous ? Parce qu'il faut dresser tout ce beau petit monde à être productif et rentable.

L'éducation religieuse que nous avons reçue a eu le même impact. La majorité des chrétiens de ce monde, pour ne parler que de cette religion, ont appris que le bonheur ne viendrait qu'après la mort et une vie de souffrances. Ils ont surtout appris que le plaisir et le bonheur ne viendraient qu'à ceux qui l'ont très bien mérité en ayant rempli, et à la perfection évidemment, leurs obligations, leurs devoirs et leurs responsabilités. Si, par malheur, nous passions au plaisir avant toutes ces tâches à accomplir, celui-ci ne nous venait jamais sans son lot de culpabilité. Je ne me trompe probablement pas en disant que c'est la réalité de bien des individus encore aujourd'hui.

Même si plusieurs d'entre nous ont pris conscience de cet état de fait, il n'en reste pas moins que la plupart ont transmis ces valeurs à leurs enfants. Force m'est de dire que nous nous débattrons avec cette notion de mérite et de culpabilité tant que nous ne déciderons pas individuellement et collectivement de briser cette chaîne. Il faut en finir une fois pour toutes avec cette façon de penser.

Quant à moi, j'ai consciemment entrepris de défaire jusqu'à la dernière maille le tricot des obligations, des devoirs, des responsabilités et de la culpabilité, et de le refaire sur un nouveau modèle, en y incluant surtout ce nouveau matériau qu'est le plaisir. Cela aussi, je le sens, fait partie de la mutation. *« Je suis au regret de te dire que tout ça, c'est de la belle théorie, Catherine. Comment vas-tu t'y prendre pour mettre ce beau programme en pratique ? »* Je crois que je vais d'abord me regarder vivre et je verrai ensuite ce que je peux faire.

C'est ainsi qu'à me regarder vivre, je commence, au fil des jours, des semaines et des mois, à prendre conscience que ma vie n'est tout simplement pas une partie de plaisir. Non pas que je m'ennuie ou que je m'embête, car je fais et je vis des choses intenses et stimulantes, mais je fais tout, très, très, très sérieusement. J'ai de la discipline, un bon sens de l'organisation, tout pour mettre du stress en lieu et place du plaisir. Imaginez, même quand la fête bat son plein, j'ai de la difficulté à éprouver un réel plaisir. « *Ça s'peux-tu ? Excuse-moi, Catherine, pour le langage familier, mais si je disais "cela se peut-il ?" il me semble que ça n'aurait pas le même impact. Alors, es-tu sûre de ce que tu viens de dire ?* » Oui, je suis sûre de ce que je dis et même j'en rajoute. À me regarder vivre, je constate, et j'ai honte de le dire, que quand le plaisir s'installe, j'ai vite fait de me trouver un devoir à accomplir tant j'ai du mal à la seule pensée de le faire durer quelque peu, tant j'ai du mal à même penser que je mérite ce bon temps qui s'annonce...

« *Catherine, combien d'années as-tu passées à constamment t'interdire le plaisir ?* » Toute ma vie, je crois. « *Pourquoi alors ?* » J'ai cherché et j'ai trouvé une piste très intéressante... celle du sentiment d'inadéquation. L'inadéquation se détecte par une récurrente et forte impression de ne jamais entreprendre la bonne chose, la chose que l'on doit faire, au moment où on doit la faire. Je deviens alors juge et partie. En d'autres mots, j'agis et je me regarde agir en portant un jugement. Par exemple, si je me lève tôt, j'ai l'impression que j'aurais dû me lever tard. Par contre, si je me lève tard, j'ai l'impression que j'aurais dû me lever tôt. C'est fou ! Si je vais marcher dehors, j'ai l'impression que j'aurais dû méditer et si je médite, j'ai l'impression que j'aurais dû aller marcher. C'est fou, je vous dis, mais c'est comme ça. Cette inadéquation ne sera plus quand j'aurai remplacé ma croyance que les autres savent mieux que moi ce qu'il faut faire, par ma propre connaissance de mes désirs et de mes besoins. Elle ne sera plus, quand je serai de moins en moins exigeante envers moi. Elle ne sera plus, quand je serai tout entière au geste que je fais et au plaisir que j'en éprouve. Elle ne sera plus, quand je me serai mise à la pratique du plaisir. Pour l'heure, ce n'est encore qu'une prise de conscience.

Ces prises de conscience à la chaîne, doublées de ma grande curiosité et triplées de mon besoin de réponses, m'obligent à me questionner encore plus. Je suis obsédée par le plaisir, sa nature, sa nécessité et ses bienfaits. J'en connais tous les tenants et les aboutissants au point que j'en parle constamment, que je donne des conférences sur ce thème. J'ai même organisé un voyage permettant de s'initier à celui-ci. *« C'est vrai, Catherine. Tu as tout essayé pour mettre du plaisir dans ta vie, mais dans le cas du voyage, avoue que tu tenais là une belle piste. »* En effet, notre voyage dans une station thermale de la Roumanie, conçu pour être un séjour tout en douceur et en dorlotements, en fut un de pépins et d'imprévus tous aussi étonnants les uns que les autres mais, surtout, il en fut un de plaisirs sans cesse renouvelés. Ce que nous avons tous compris au terme de ce périple, c'est que le plaisir se vit ici et maintenant, même si toutes les conditions que nous y croyons nécessaires ne sont pas toujours au rendez-vous. Pour mieux illustrer ma pensée, voici quelques mots sur ce voyage.

Novembre 1996

J'étais à l'aéroport de Mirabel en attente des inconnus qui devaient s'envoler avec moi pour la Roumanie. Nous étions 11 à partir. Se sont présentées alors à moi une brochette de personnes dont la plus jeune avait 28 ans et la plus vieille, 82 ans. Deux hommes faisaient partie du groupe, l'un non voyant et l'autre très timide et introverti. J'ai constaté chez les neuf femmes (dont deux seules m'étaient connues) des natures aux caractéristiques plus que différentes, je dirais même aux antipodes les unes des autres. J'ai contemplé ce groupe et, pendant un instant, je dois ici l'avouer, j'ai paniqué. Ma petite voix m'a dit : *« Hum ! Catherine, quel risque as-tu pris ? Comment vas-tu faire pour que tout ce beau monde si disparate en ait pour son argent ? »* Dieu seul le sait, me dis-je ! Eh bien, puisqu'il semble être le seul à savoir, prions-le donc : « Seigneur

Dieu, inspire-moi et mets sur mon chemin les éléments néces-saires pour que ce voyage soit celui que tous nous attendons. » *All aboard !*

Nous sommes partis pour la Roumanie et, croyez-moi, les pépins ne se sont pas fait attendre. Malgré la perte d'une valise, la crevaison d'un pneu de l'autocar, la station thermale sans eau... imaginez !, les musées et les châteaux importants fermés lors de nos visites, sans compter notre enthousiasme débordant de Québécois qui dérangeait sans cesse le Roumain taciturne, je peux affirmer au nom de tous sans crainte de me tromper que ce voyage fut un plein succès sur le plan du plai-sir. Sans cesse, nous avons trouvé matière à rire de ces imprévus et sans cesse la leçon fut celle que nous attendions... AVOIR DU PLAISIR QUAND TOUTES LES CONDITIONS NE SONT PAS RASSEMBLÉES... « *Ma vieille, tout un défi que vous avez relevé là !* » Je me rappelle m'être fait souffler à l'oreille : « *Essaie main-tenant de transposer cela dans ton quotidien en rentrant à Mont-réal, juste pour voir.* »

J'ai essayé. Cela n'a pas trop mal fonctionné pendant un temps. Mais j'étais déjà si fatiguée, je dirais même si épuisée, que le stress et les vieux fonctionnements sont vite venus revendiquer leurs droits d'exister. J'ai fait une rechute de devoirs et de responsabilités mais, au moins, je me suis regar-dée aller. Il m'arrivait de plus en plus souvent de constater ce comportement ; je tentais de réagir à la situation en m'offrant chaque fois un plaisir en contrepartie. « *Beau début, ma Catherine, mais je suis désolée de te dire que c'est de la compensa-tion, ça !* » Ne riez pas de moi, j'ai dit que je ferais mon pos-sible. On fait ce qu'on peut, comme on peut !

Consciente du palliatif, je me suis mise à l'ouvrage pour aller plus loin et plus profondément dans la démarche d'appri-voisement du plaisir. Dans les faits, j'ai tâtonné longtemps, ça m'a pris quatre ans d'essais/erreurs pour comprendre réel-lement cette notion... LE PLAISIR NE PEUT ÊTRE VRAI, TOTAL ET ENTIER QUE LORSQU'ON EST VRAI, TOTAL ET

ENTIER À TOUTES NOS ÉMOTIONS, LES NÉGATIVES COMME LES POSITIVES... Cette notion acquise, j'ai pu profiter sainement du plaisir, sans culpabilité, sans compensation et sans l'avoir préalablement mérité. Comme à l'accoutumée, mon inconscient n'a pas raté l'occasion de m'en faire part et sans mettre de gants blancs. Jugez-en par vous-même.

Rêve du 25 juin 1998

PLONGER DANS LA PISCINE

Je veux aller demeurer au Chez-Nous des artistes. Je vais visiter la résidence et je me rends compte qu'il y a une piscine. Ma fille Sylvie est avec moi. Elle ne veut pas habiter là. Plusieurs personnes qui visitent comme moi entrent toutes habillées dans la piscine. Il semble que je doive faire de même. J'hésite, car j'ai le livre des procès-verbaux du Chez-Nous ouvert entre les mains. J'y vais quand même et, en sortant, je fais sécher les pages. Ensuite, je suis dans une autre pièce et j'explique à Sylvie que mon intérêt à habiter là est financier. En sortant de la pièce, je trouve cet endroit sans vie.

Je suis sûre que plusieurs rient dans leur barbe. Riez ! Riez ! Quant à moi, j'ai décidé qu'il valait mieux en rire qu'en pleurer. C'est vraiment ce que je me suis dit en me réveillant, car j'en aurais pleuré, tant il est évident dans ce rêve que je doive plonger au cœur de mes émotions.

Que je vous dise d'abord que le Chez-Nous des artistes est une maison de retraite pour nos artistes. Vouloir y habiter pour des raisons économiques montre bien que le sérieux et le raisonnable prennent encore (à l'époque du rêve) le dessus sur le plaisir. Il prend même le dessus sur la qualité de vie, l'endroit jugé sans vie dans le rêve le symbolise et dénote aussi une insécurité dont je dois prendre conscience. D'autant plus que Sylvie (symbole de mon côté féminin encore jeune et enthousiaste) ne veut pas demeurer là. Je vous ai déjà parlé de Sylvie comme aventureuse, exploratrice et confiante. Mon inconscient m'a donc servi cette image pour comprendre qu'une partie de moi sait que la solution n'est pas d'aller me cacher dans une maison de retraite, mais plutôt de risquer l'aventure de l'exploration de mes émotions et de me faire confiance. La piscine (qui représente la somme d'émotions que nous nous créons tout au long de notre existence) et le fait d'y entrer toute habillée avec en plus le livre ouvert symbolisent que je dois plonger dans cette somme d'émotions telle que je suis maintenant, en ne me cachant rien et en partageant tout comme un grand livre ouvert. De toutes façons, on s'en remet, car je fais sécher les pages. *« Hum ! heureusement que la thérapie s'en vient, ma Catherine. Mais quel chemin il t'a fallu faire pour y arriver ! »*

Je me suis longtemps questionnée sur mon incapacité à profiter entièrement de tout plaisir qui s'offrait à moi et je suis longtemps restée sans réponse. Quand notre vie intérieure est totalement meublée d'émotions refoulées, non traitées, non conscientisées, non évacuées, quand elle est de surcroît meublée des émotions des autres, il n'y a plus de place intérieure pour vivre quoi que ce soit d'autre. On est fermé à double tour, insensible et même parfois indifférent. Je saisis toute l'intensité et l'importance de cette formidable prise de conscience... LORSQUE L'ON EST COUPÉ DE SES ÉMOTIONS NÉGATIVES PAR PEUR DE LA SOUFFRANCE QU'ELLES POURRAIENT ENGENDRER SI ON LES LAISSAIT ÉMERGER, ON SE COUPE AUSSI DES ÉMOTIONS POSITIVES DE BONHEUR, DE JOIE ET DE GRATITUDE DEVANT CE QUE LA VIE OFFRE À VIVRE DE BEAU, DE GRAND ET DE MAGNIFIQUE.

Je pourrais me répandre en détails de toutes sortes sur ma compréhension du plaisir, de l'énergie du plaisir et du rôle du plaisir dans nos vies à tous et à toutes, mais je préfère continuer sur ma lancée et vous faire revivre avec moi un des moments les plus intenses de ma vie.

Carleton, juillet 1999

Depuis plusieurs années, à cause d'un constant besoin de bord de l'eau, je m'offre un séjour sur l'île Verte, en face de Rivière-du-Loup. J'adore le fleuve, les horizons lointains, les marées, les trésors qu'elles nous amènent et, surtout, les pierres que l'on y découvre, comme autant de preuves de l'œuvre du temps qui passe. J'essaie de profiter de ces séjours au maximum, mais... oui, il y a toujours un mais... J'en profite, mais j'ai l'impression de ne jamais assez en jouir. Je regarde, mais j'ai l'impression de ne pas arriver à voir complètement. Je sais que je pourrais contempler, mais je n'arrive jamais à m'y plonger totalement tant il y a, tout au fond de moi, une forte urgence d'entreprendre une action, comme pour me distraire de ce que l'arrêt, la solitude et le silence peuvent me faire entendre sur moi-même. C'était sans compter avec l'été 1999 qui m'attendait dans le détour!

En commençant ma thérapie, au mois d'août 1998, je me plaisais à dire que mon but était d'arriver à faire taire ma raison pour pouvoir entendre parler mon âme. Je veux dire par là que mon plus cher désir était d'entrer en contact avec mes émotions et ma nature profonde.

Tout au cours de l'hiver, j'avais observé mes questionnements et mes doutes, mes sentiments et mes impressions et, chaque fois, j'avais fait l'exercice de me demander si mon âme était contente de telle ou telle décision que j'avais à prendre. J'ai ainsi tenté, comme le décrit si bien Neale Donald Walsh dans *Conversation avec Dieu*, d'utiliser de plus en plus la joie pour baser mes choix. En effet, dans ce livre, l'auteur dit que la joie est l'émotion de l'âme et qu'ainsi nous pouvons nous en servir comme d'un baromètre pour savoir si notre âme est au rendez-vous et si notre action est juste. Ce me fut un formidable outil pour désamorcer mon sentiment d'inadéquation récurrent.

Vers le mois de mars, l'envie du bord de l'eau me reprend et je ne me sens pas particulièrement en joie à la perspective d'un séjour à l'île Verte. Je décide donc d'écouter mon âme et je suis la folle impulsion d'aller dans la baie des Chaleurs faire connaissance avec les pierres de la Gaspésie. Je loue un chalet que je n'ai jamais vu, avec la certitude que c'est celui-là que je dois louer, et je décide que le séjour prévu pour quatre semaines servira à jeter les bases du livre que j'écris présentement. Plus le séjour approche, plus mon âme me suggère que celui-ci doit en être un de silence et de solitude. Je décide à nouveau d'écouter cela. Je pars donc pour Saint-Omer, tout près de Carleton, dans un coin de pays où je ne connais pas âme qui vive, dans un chalet sans téléphone et avec la consigne à tous les miens de m'oublier pour un mois.

Ce qui fut prévu est fait. Écriture le matin, marche et recherche de pierres l'après-midi, dessin le soir. Majoritairement seule et en silence.

Ce qui ne fut pas prévu se produit ! La thérapie, la solitude, le silence, l'écriture, le dessin et la contemplation font leur œuvre... l'ouverture du cœur se produit. Enfin, il y a de la place en moi pour le beau et le grand. Dans cette merveilleuse oasis, je peux prendre suffisamment contact avec ma souffrance pour arriver à ressentir la plénitude de la contemplation. Quelle découverte que ce ressenti de l'intérieur, que cette joie débordante qui appelle une joie encore plus grande, et qui pousse à la gratitude, encore et encore ! C'est toute à la joie de cette expérience que me viennent les mots que voici...

Lettre à mon amie Pauline

Assise au bord de la mer, au bord de cette baie des Chaleurs qui a vu passer Christophe Colomb, je me plais à éprouver de la joie à la sensation sous mes pieds, du sable chauffé par le soleil, je me plais à éprouver de la joie à la sensation dans mes mains de ces captivantes œuvres du temps que sont les pierres, nouvelles toujours de par les marées, elles aussi toujours renouvelées, je me plais à éprouver de la joie à entendre cette eau couleur d'océan chanter la vie sur tous les tons.

Le vent vient de tourner, il me dit que la mer vient aussi de renverser son rythme. Pour quelques heures, elle s'était éloignée ; voilà maintenant qu'elle revient.

Comme il est impressionnant de saisir la portée du geste de la mer qui, inlassablement, depuis que le monde est monde et jusqu'à la fin des temps, va et vient, ne cessant jamais de répondre à sa nature profonde, à ce pourquoi elle a été si justement créée.

Comme il est impressionnant de saisir que la mer seule ne peut exister et que ses incessants va-et-vient sont irrémédiablement liés aux mêmes incessants rythmes de la lune, grosse parfois et si petite par moments. Lune qui fait lumière sur la nuit et qui ne prend de signification que par l'existence du jour et du soleil.

Je suis profondément émue, je pleure, mais mon âme est en joie d'être à l'instant si près du Tout.

Se peut-il que je ne saisisse que maintenant le caractère grandiose de la création et qu'ainsi, assise là, mon existence n'ait de sens que par l'existence de tout cela ?

Je suis au début de mon voyage intérieur. J'abandonne à mon âme les décisions à prendre, elle qui sait si bien le faire et que j'ai pris trop de temps à écouter.

Il a fallu tant de mal, tant de peurs et tant de souffrances pour qu'enfin je lui laisse l'espace de l'expression.

Il a fallu l'intense besoin de silence et de solitude pour qu'enfin je sois là à communiquer avec la plénitude du Tout, dans un instant suspendu, une éternité, hors du temps et de l'espace.

Il m'a fallu, ô douleur extrême, résister à l'attachement des miens, comme autant de quais auxquels m'amarrer pour qu'enfin, et non sans crainte, je gagne le large seule et confiante.

Se peut-il que je ne saisisse que maintenant la beauté de la vie et qu'ainsi, assise là, mon existence n'ait de sens que par l'existence de tous ces humains qui vivent leur vie dans cet inexorable Tout ?

Merci, mon âme. Le voyage est bel et bien commencé !
Saint-Omer, neuf juillet mil neuf cent quatre-vingt-dix-neuf !

« Catherine, c'est bien beau tout ce que tu racontes, mais tu ne peux pas passer sous silence le piège dans lequel tu es tombée pendant les premiers jours de ton séjour. Allez, sois honnête et raconte ce qui est arrivé, raconte comment ça s'est passé. » Bon d'accord. J'avoue que j'ai bien failli tout rater.

Je ne sais pas si je vous l'ai déjà dit et, si c'est le cas, je le répète. Je suis une femme organisée, très organisée. Je suis tellement organisée que j'ai toujours un plan bien arrêté de choses à faire pour être bien sûre de rentabiliser mon temps et mon investissement. Rappelez-vous... rentabilité et efficacité. À peine arrivée, je me retrouve aussitôt installée. À peine arrivée, j'ai aussitôt un million d'endroits à visiter et d'événements à ne pas rater. Il fait beau, je dois me lever tôt pour en profiter. Il pleut, c'est le moment rêvé pour me laver les cheveux et faire les courses. Il y a une pièce de théâtre à l'affiche, il ne faut pas rater cela. Il y a des randonnées sur l'eau, je ne dois pas oublier d'aller m'informer à cet effet. Ah oui ! il y a aussi le mont Saint-Joseph ! Quand donc irais-je l'escalader ? À peine arrivée, j'ai aussitôt donné la direction des opérations à mon mental et à son acolyte de toujours, l'agenda.

Trois jours après mon arrivée, j'étais stressée comme en plein mois de janvier à Montréal. « *Coucou ! Catherine, tu n'étais pas venue ici pour te reposer, faire le vide pour faire le plein, laisser parler ton âme, céder la place à ta spontanéité, à ta créativité ? Pourquoi tout ce stress ?* » Encore et toujours parce qu'il est plus facile de meubler l'espace intérieur de préoccupations palpables, plutôt que de l'accueillir en toute confiance avec son lot de malaises et de *mal-être*. Vaut mieux ne pas sentir cet angoissant espace aux allures de vide qui donne le vertige et la nausée. Heureusement, dès le début, j'ai fait un rêve qui a remis ma pendule à l'heure.

Rêve du 6 juillet 1999

LÀ OÙ TOUT EST PLEIN ET VIDE À LA FOIS

Je suis avec mes filles, Sylvie et Geneviev, et nous visitons un appartement. Au début, on voit un genre de salon tout de velours tendu ; il semble fait pour recevoir dans l'intimité. Il y a aussi une chambre à coucher qui donne l'impression d'un bordel de luxe. Nous continuons notre visite de l'appartement. Dans une pièce, il y a la propriétaire et sa fille en jaquette, il est dix heures du matin et elles boivent de l'alcool. Elles nous en offrent et nous refusons. Ce qui me frappe dans ce logement, c'est le rangement. Il y en a beaucoup, mais tout est plein à ras bord de contenants de plastique vides. Même le congélateur est plein de contenants vides ; il a l'air d'un tiroir de morgue !

Je me suis éveillée en état de choc ce matin-là. Ces espaces de rangement dans un appartement sont symboliques de notre espace intérieur. Le fait qu'ils soient pleins et vides à la fois exprime clairement ce que je vivais dans les tout premiers jours de mes vacances : occuper l'espace pour ne pas sentir le vide. Ou alors me distraire du vide, comme tant de personnes font, moi y compris à cette époque, par des plaisirs superficiels et compulsifs. À titre d'exemple, le sexe et la boisson présents dans le rêve. Merci à mon gardien intérieur d'être aussi éloquent. Grâce à lui, j'ai pu rajuster mon tir et arriver aux résultats que je vous ai énoncés précédemment.

Depuis cette prise de conscience, j'ai mis en pratique l'exercice de l'accueil et de la reconnaissance de l'espace intérieur, je devrais plutôt dire du vide intérieur. Force m'est de constater que cet exercice m'a évidemment amenée sur des sentiers troublants. Il a fait émerger des souffrances, qui, une fois accueillies et conscientisées, en ont fait émerger d'autres plus anciennes et ainsi de suite, jusqu'à laisser enfin libre une place dédiée à l'instant présent et à l'émotion du moment. Place que je me suis empressée de remplir de joie et de plaisir. Je ne vous apprends rien en vous disant que l'anxiété, la dépression, le vieillissement prématuré, les maladies comme le cancer et les troubles cardiovasculaires sont des maladies qui ont comme facteur déterminant le déplaisir. Rappelez-vous la tristesse à laquelle a fait allusion le psychiatre, lors de ma première visite à son cabinet. De là à comprendre que le plaisir est déterminant pour la santé, il n'y a qu'un pas ! Je n'ai de cesse de le franchir de plus en plus chaque jour.

Donnons l'exemple du plaisir à nos enfants et choisissons de l'inclure dans notre vie tant et tant qu'il ne sera plus de nos expressions courantes de dire... **DUR, DUR, LE PLAISIR !**

DEUXIÈME PARTIE

DE LA COMPRÉHENSION À LA GUÉRISON

LA SAINTE-CHRONICITÉ

Décennies 1970-1980-1990-2000

Ah ! la Sainte-Chronicité ou... synchronicité, si vous préférez ! Ce jeu de mots n'est pas de moi, il me vient de celle à qui je dois d'utiliser mes rêves comme outil de cheminement, d'évolution et de croissance personnelle, et qui le tenait elle-même de quelqu'un d'autre... Ainsi va la vie ! Mais là n'est pas l'important. L'important, c'est qu'au début des années 1980, cette notion de synchronicité est apparue dans ma vie pour ne plus jamais en sortir. Le psychanalyste suisse Carl Jung a, au siècle dernier, fortement développé cette notion et il l'a utilisée dans plusieurs de ses travaux sur la psyché humaine et sur l'étrange rapport qu'entretient l'homme avec son âme et avec Dieu. C'est aussi à cette notion que James Redfield fait allusion dans son livre *La Prophétie des Andes* en parlant de coïncidences.

Ce concept de synchronicité ne date pas d'hier ni même du siècle dernier. On en parlait déjà au temps des premiers chrétiens et même avant cela, au temps de la préhistoire. En effet, dès que s'est imposée à l'homme l'existence d'une force supérieure invisible, celui-ci a su reconnaître les *signes* comme autant de messages le guidant incessamment vers l'accomplissement de son destin. L'histoire de la synchronicité a malheureusement eu sa période de noirceur. Quand la science a tenté tant bien que mal de tout expliquer par $a + b$, quand l'homme a misé sur son côté rationnel et qu'il a voulu exercer plus de contrôle sur sa vie et sur les autres, il s'est en même temps éloigné de cette pratique de *reconnaissance des signes* et, par là même, de ce merveilleux outil de foi en la vie et de lâcher-prise.

Cet outil qui consiste à être suffisamment éveillé et conscient pour ressentir que des personnes et des événements se présentent à nous au bon moment afin de nous aider à progresser, à rectifier le tir, à faire des choix justes et inspirés, pour l'accomplissement de notre destin et pour l'évolution de notre âme.

Cet outil qui consiste à être à ce point responsables de nos choix que nous puissions sans crainte laisser aux coïncidences, synchronicités ou signes, l'espace et le temps nécessaires à leurs manifestations et à leurs reconnaissances.

Cet outil qui nous renvoie inexorablement au lâcher-prise, élément essentiel au développement de notre spiritualité.

Cet outil qui nous donne sans cesse la preuve de l'existence d'un ordre divin orchestrant admirablement les lois universelles. « *Catherine, accouche ! Tu es en train de nous perdre avec ces mots qui tentent d'expliquer l'inexplicable. Peut-être qu'en racontant un événement tu y arriverais mieux.* » Oui, oui, ça vient, mais j'ai encore deux choses à dire.

Cet outil par lequel, très souvent inconsciemment, je me suis retrouvée à la bonne place, au bon moment.

Cet outil qui, avec l'analyse des rêves et les moyens énoncés plus loin, m'a permis de remonter le fil du temps et de comprendre ainsi le sens de ma vie.

Année 1975

J'avais alors 28 ans. Depuis quatre ans déjà, j'étais mère de deux belles filles et épouse à la maison. Je ne savais plus depuis quand je ne me sentais plus. Je ne savais plus depuis quand je m'étais perdue de vue. Je ne savais plus depuis quand j'étais dans le coma. Je savais cependant une chose... rien n'allait plus ! J'avais l'impression de m'être complètement vidée de mon essence, d'avoir tout donné, tout sacrifié sur l'autel de la mère et de l'épouse. Et pourtant, on m'avait dit que quand l'homme — mon homme — arriverait, il serait source d'un tel bonheur que je vivrais heureuse et que j'aurais beaucoup d'enfants ! J'ai la sensation de m'être fait avoir pas à peu près. Excusez l'expression, mais c'est ainsi que je sens cette immense illusion à laquelle j'ai cru. « *Catherine, je sens de la colère se manifester à l'instant. Il va falloir que tu regardes ça. Tu sais bien que tout cela s'est passé au moment où tu n'assumais pas totalement tes choix.* » Oui, je le sais. Je sais que j'étais atteinte du syndrome de Cendrillon. Je sais aussi que j'ai cru à cette histoire du prince charmant parce que, quelque part, j'ai bien voulu y croire. Je sais que si j'ai pris mon mari pour un prince charmant, c'était mon problème et qu'il n'était aucunement à blâmer pour mon *mal-être*. Mais je ne peux m'empêcher de ressentir, quand je pense à cela, la même émotion qui m'animait à ce moment-là. Il y a sûrement quelque chose qui n'est pas encore totalement réglé. « *Comme je le disais, il va falloir que tu regardes cela de plus près. Pour l'instant, continue à raconter.* »

Toujours est-il qu'un beau matin d'hiver de cette année 1975, je me suis levée tôt, enfants obligent, sans trop vouloir savoir de quoi ma journée serait faite. Il m'a semblé cependant que seulement quelques instants plus tard, il était déjà 13 h ! J'étais encore en robe de nuit. Sous l'emprise de la culpabilité de ne plus savoir à quoi j'avais employé mon avant-midi, j'ai essayé de trouver l'énergie de m'habiller, d'habiller les petites et d'aller dehors, car la journée était belle, donc... il fallait aller dehors ! Je suis montée à ma chambre et, au moment de m'habiller, le miroir m'a renvoyé une image que je n'ai pas aimée du tout. J'avais l'air vieille, je me sentais vieille. Il me semblait voir ma mère, alors âgée de 57 ans. Je me suis entendue dire : « Non, je ne veux pas avoir l'air vieille. Je ne veux pas me retrouver à 60 ans dans le coma et l'errance que je vis aujourd'hui. Je ne peux supporter l'idée qu'à 60 ans, j'aurai encore cette sensation de... rien ne va plus ! » Ça m'a donné un choc ! *« Eh bien, ma vieille, si tu ne veux pas ressembler dans 30 ans à cette image que tu vois dans le miroir, fais quelque chose. Ça presse ! »*

Ce moment a été pour moi à la fois magique et dramatique. J'avais l'impression qu'un voile se retirait de mes yeux et qu'à cet instant même la conscience m'était donnée. J'avais l'impression de m'éveiller d'un profond sommeil. J'avais soudain une vision claire, non pas de ce que je devais faire, car j'étais encore trop mal en point pour cela, mais plutôt de ce que je ne voulais plus faire. Une vision tellement forte qu'elle sera longtemps mon guide vers un ailleurs meilleur. Ce moment en a été un de grâce. J'ai, ce jour-là, reçu le privilège de m'éveiller d'une inconscience qui avait, il me semble, duré des siècles. Enfin ! je me sentais vivante ! Je me ressentais avec d'autres sentiments, je me voyais avec d'autres yeux, je m'entendais avec d'autres oreilles.

Quel que fût cependant le privilège de l'instant, l'impression qui demeure la plus forte encore aujourd'hui est celle de la souffrance que cet événement, appelons-le ainsi, a créée. La souffrance de devoir prendre la responsabilité de moi-même, de relever le défi de réussir ma vie, de me questionner sur le sens que je veux donner à celle-ci, sans compter les « Qu'est-ce que je dois faire ? » et « Comment vais-je le faire ? ». La tâche était grande, la montagne était haute et la dépression qui m'habitait déjà s'accentuait d'autant.

Ici, je dois avouer que dans mes inconscientes et innocentes prières, j'avais incessamment demandé le bonheur et, là encore, je ne savais pas que le bonheur se présenterait sous la forme incongrue d'un divorce, d'une dépression, d'une longue maladie et d'une aussi difficile renaissance au bout d'un long chemin d'apprentissage de la vie, de recherche de moi-même et d'élargissement de la conscience. *« Bon début, Catherine. Mais qu'est-ce que la synchronicité et les coïncidences viennent faire là-dedans ? »* Ça vient, ça vient... Il faut cependant que je vous dise que ce que je sais être aujourd'hui des signes ou des coïncidences n'a été perçu à l'époque que comme le fruit du hasard, mais, Dieu merci ! quel heureux hasard !

Or donc, me voilà plus consciente et plus souffrante que jamais, au beau milieu de nulle part, avec un mari, deux enfants et tout un tralala choisi ainsi parce que je n'avais jamais su que la vie pouvait se vivre autrement. Il ne fut plus long le temps d'atteindre le... je n'en peux plus !

Qu'est-ce qu'on fait avec un sentiment pareil ? On cherche une solution pour arrêter la souffrance qu'il crée. C'est ce que j'ai fait, évidemment, et pour cela, j'ai trouvé une belle porte de sortie... la psychosomatisation. Eh oui ! Quel heureux hasard que mes états d'âme m'aient épuisée au point de m'amener constamment en crise de fièvre et de maux de ventre à l'hôpital ! Curieux que ce même hasard m'ait fait rencontrer un médecin généraliste qui, Dieu merci ! a vu ce que je n'avais su voir. L'Univers a provoqué ce rendez-vous avec ce médecin inspiré, qui m'a crûment dit au bout de quelques entrées réussies à l'urgence : « La prochaine fois, je refuse de te traiter. Tu as un problème à régler, regarde-le, règle-le et cesse de te cacher derrière des crises physiques. C'est ta vie entière qui est en état de crise. » Comme il disait vrai ! La pilule était difficile à avaler ! Mon orgueil en a pris un coup. Mon retour à la maison n'en a été que plus dur à assumer.

Il ne fut plus long le temps d'atteindre le... je suis désespérée ! Cette fois-là, plus de porte de sortie possible, il me fallait affronter ce désespoir. C'est donc du fond de ce désert où je me croyais seule que j'ai crié au secours et que l'on m'a répondu. Quel heureux hasard que ma sœur Madeleine, alors mariée à un médecin étudiant au Minnesota, ait été de passage à Québec en cet instant de besoin ! Curieux que ce même hasard l'ait rendue suffisamment disponible pour venir à mon aide et organiser, par des contacts entre médecins, des consultations psychiatriques immédiates et essentielles à ma survie. J'étais donc entre bonnes mains sur le chemin de l'analyse.

Il fut cependant plus long le temps de comprendre l'imbroglio dans lequel je m'étais inconsciemment empêtrée et encore plus long le temps pour trouver l'énergie et le courage d'entreprendre l'action appropriée.

Quatre ans au total ! Quatre années folles pendant lesquelles j'ai mordu dans la vie avec la force du désespoir. Quatre années pendant lesquelles l'agenda chargé au maximum m'a donné la sensation d'être vivante. Quatre années pendant lesquelles j'ai recommencé à travailler au théâtre, puis à la télévision. Un ami, à qui je n'avais pas parlé depuis belle lurette, m'avait appelée un jour pour m'offrir un travail sans que j'aie entrepris quelques démarches que ce soit à cet effet. Beau hasard, n'est-ce pas ? De plus, j'ai participé à la fondation d'un théâtre pour enfants, j'ai regardé les autres vivre leurs vies, j'ai eu un autre enfant et j'ai vu mon mari Louis tomber gravement malade au point de penser qu'il mourrait. Quatre années pendant lesquelles j'ai découvert ma clairvoyance ; une rencontre avec Jacques Languirand, lors d'une émission de télévision, m'a mise sur cette voie. Encore un beau hasard ! Quatre années pendant lesquelles j'ai aussi découvert la spiritualité et mon étonnant lien avec le monde des rêves.

Je criais de moins en moins au secours. Ma vie avait repris son cours. J'avais mis des choses en mouvement et l'Univers n'avait pas raté ce rendez-vous. De plus, par un heureux hasard, à cette importante période de ma vie, après ma dernière sortie de l'hôpital, j'ai fait un rêve majeur. Je m'en suis inspirée totalement pour orienter mes choix et pour supporter la décision la plus déchirante qu'il m'ait été donné de prendre jusqu'à aujourd'hui, c'est-à-dire celle de divorcer.

Rêve d'une nuit de l'année 1979

INITIATION AU LÂCHER-PRISE

Je suis au volant de ma voiture en compagnie d'un homme que je connais. Nous roulons sur une route de campagne. Il fait noir comme un Vendredi saint. J'ai l'impression que c'est la fin des temps. Je suis soudain projetée, avec ma voiture, dans l'eau d'un lac qui se trouve sur ma droite. Cette eau est sombre. J'arrive à sortir de la voiture, mais j'ai de la difficulté à revenir à la surface. Je me fais alors la réflexion que je pourrais me laisser mourir. Je choisis de me noyer. J'éprouve une telle sensation de laisser-aller ! Je me sens légère, enfin au repos, enfin dégagée de tout stress. Après quelques minutes, je me retrouve sur une plage de sable blanc. Je suis sur le dos, suspendue entre ciel et terre, en train d'accoucher d'un bébé. Je sais que ce bébé, c'est moi. L'instant d'après, je marche nue sur la plage et je fais partie d'une cohorte de personnes nues, aux cheveux blonds et aux yeux bleus qui chantent un cantique. Quand je regarde sur ma droite, la mer s'est transformée en un champ de blé dans lequel apparaît une maison à trois murs seulement. Je peux donc voir, à l'intérieur de la pièce, une cuisine où une femme et un homme âgés sont attablés à déjeuner ; ils mangent un pain de ménage que l'homme ouvre par le milieu pour y voir apparaître deux œufs à deux jaunes.

En me réveillant, je savais que j'avais fait un rêve majeur. Je n'en étais encore qu'aux balbutiements de l'analyse et de l'interprétation des rêves, mais j'en savais assez pour en comprendre les grandes lignes et pour savoir que ce rêve me donnait en clair une action à entreprendre et même une idée de l'avenir que je me réservais, à la condition, évidemment, que je décide d'agir en conséquence. Chaque fois que je me retrouve devant un rêve à l'importance indiscutable, je m'émerveille du miracle de cette machine humaine si bien rodée, en même temps que je souffre de la dualité qu'il me crée. En effet, j'angoisse car je sais que face au message qu'il véhicule, je devrai choisir même si je demeure totalement libre d'agir ou de ne pas agir... Mais analysons d'abord ce rêve.

La noirceur de cette journée était symbolique de la noirceur dans laquelle je vivais et l'eau trouble du lac était symbolique des émotions troubles qui m'habitaient. Suivre une route et tomber avec ma voiture dans le lac situé à droite était symbolique du chemin que je devais quitter pour me laisser totalement submerger par mes émotions et me jeter tête baissée dans un futur incertain. Mais il fallait d'abord mourir, choisir de mourir sans savoir ce qui venait, ce qui m'attendait après. Cette décision prise dans le rêve m'a initiée au lâcher-prise. J'en ai encore aujourd'hui une sensation telle que je peux à volonté la reproduire chaque fois que je dois m'abandonner ou abandonner.

Ce fut une vraie initiation. Je n'ai cependant appris que plus tard l'existence de rêves initiatiques. Comme je connaissais la symbolique de la mort dans les rêves, il devenait alors clair pour moi que je devais faire le deuil de mon mariage et que l'avenir harmonieux qui m'attendait ne viendrait qu'à ce prix. J'ai tout de suite su qu'il était question de mariage ou plutôt de divorce, et ce, pour plusieurs raisons. La première, c'est que cette question était trop de fois ressortie en thérapie pour que je n'en arrive pas à cette conclusion. La deuxième, c'est que le rêve mettait en scène un homme en compagnie duquel il me semblait faire couple. La troisième, c'est qu'à partir du moment où je me noyais, il n'était plus question de cet homme. La quatrième, c'est que je portais en moi la forte certitude de ne pas me tromper. Or donc, une fois la décision de divorcer prise, l'action enclenchée et le deuil effectué, je me remettrais au monde, toujours selon le rêve. Cette renaissance me donnerait accès à un environnement lumineux dans lequel je rejoindrais des êtres de lumière et je chanterais le bonheur de vivre tout en suivant mon chemin.

C'est essentiellement cette étape que je vis présentement. Je renais à la vie, j'habite le bord de mer et je suis entourée de magnifiques personnes qui sont des anges pour moi. Elles m'accompagnent, me soutiennent, me gardent dans le plaisir, le bonheur de l'instant, la vérité, l'authenticité, la vraie vie, quoi ! Elles m'ont connue dans mes instants de grande vulnérabilité et m'ont aimée ainsi. Nous sommes les miroirs les unes des autres et nous y apprenons énormément. Mais revenons au rêve. Le champ de blé, le pain, les œufs me parlent de m'absorber dans des tâches simples et de me nourrir de l'essentiel. La maison qui laisse voir son intérieur symbolise que tout ce que je ferai devra être fait au vu et au su de tous, pour donner l'exemple. L'exemple de la simplicité du bonheur et de l'amour. Le couple âgé me dit que je devrai à nouveau expérimenter le couple, moi qui vis seule depuis 12 ans maintenant. Tout est double dans cette partie du rêve qui me parle du futur : le couple, le pain à deux fesses, les deux œufs à deux jaunes, enfin... Il me sera sans doute donné un jour de vous faire part de cet avenir en couple qui me semble heureux, mais où la dualité présente dans le rêve demandera à être résolue.

N'est-ce pas extraordinaire d'avoir ainsi accès à son futur, de voir le signe, de le comprendre et de le suivre quelle que soit la souffrance que la décision à prendre et l'action à entreprendre peuvent créer ?

J'ai pris la décision de divorcer à l'automne 1980 et j'en ai souffert atrocement, car les circonstances m'ont obligée à quitter non seulement mon mari, mais aussi mes enfants. Simon n'avait alors qu'un an et demi. Je le revois là dans toute son innocence, la suce au bec et la couche aux fesses... cher ange de mon cœur... J'ai mal à mon cœur de mère, ça déchire encore à l'intérieur de moi. Je revois aussi mes deux belles filles blêmir à l'annonce de cette nouvelle, l'une dans une rage et une colère qu'elle porte encore aujourd'hui telle une insupportable souffrance, et l'autre, dans une tendre et affectueuse acceptation qui la caractérise si bien, mais qui n'en a pas moins laissé des séquelles. Douleurs et amour pour ces chers anges de mon cœur... Venus dans ma vie pour m'apprendre le détachement... Venus dans ma vie pour m'obliger à m'accomplir afin que je leur trace le chemin... Venus dans ma vie pour m'enraciner et m'équilibrer... Venus dans ma vie pour me forcer à progresser, car ils ne progresseront eux-mêmes qu'à ce prix. Je ne raconte pas cela sans larmes, sans peines et sans souffrances, vous me croyez j'en suis sûre.

Vous comprendrez aussi sans nul doute que c'est à partir de ce moment même que, pour survivre, j'ai décidé de bloquer toute forme d'émotion et d'adopter, pour un long moment, la solution de tout intellectualiser, de tout rationaliser. Rien de cela n'est attribuable au hasard. Il fallait que ce soit ainsi, parce que j'avais un grand bagage de connaissances à acquérir, un long chemin d'expériences à faire et bien des tournants à prendre, toujours en me jetant tête baissée dans mon destin, comme j'avais appris à le faire dans le rêve. Mais croyez aussi ceci : après bien des remises en question et quelque 20 ans plus tard, je n'ai aucun regret ni aucun doute sur la pertinence de cette décision. Le cancer et la thérapie, deux belles coïncidences vous l'avez vu, m'ont aidée à passer de l'autre côté de ces souffrances, à les accepter, à les transcender et à m'aimer malgré tout et malgré cela. L'analyse que j'ai faite de ce passé m'a exorcisée, m'a remise à jour et me permet aujourd'hui de prendre un autre tournant.

C'est depuis cette première plongée consciente dans mon destin qu'au fur et à mesure de mes lectures et de mes rencontres, que de synchronicités en coïncidences, je vis ma vie. En font preuve les événements qui suivent.

Printemps 1999

C'est le mois de mai, je suis dans l'avion en route pour Paris où habite mon amie Nicole et chez qui je m'apprête à passer une dizaine de jours. C'est un séjour qui s'est décidé fort vite et, ma foi, de façon assez intuitive. Nicole était venue au Québec à peine un mois plus tôt pour fêter Pâques avec sa famille et une nouvelle fois, quelques jours plus tard, pour assister sa mère dans ses derniers moments. Comme je la voyais retourner à Paris seule avec ce grand vide intérieur, je décidai d'aller lui tenir un brin compagnie. Les coïncidences ont voulu qu'une belle brochette de ses amies, originaires de Rimouski, ait justement prévu de faire un séjour à Paris et, bien sûr, d'habiter chez elle. Me voilà donc dans l'avion à remercier l'Ordre divin qui a su voir au bien-être de Nicole. Je me surprends à me demander ce que ce grand rendez-vous d'amies, dont je ne connais que quelques-unes, vient faire dans ma vie. La réponse à ma question s'est à peine fait attendre et je vous assure que je n'ai rien perdu au change.

Avant de vous faire part des cadeaux liés à cette rencontre, il est important de vous dire que j'ai connu Nicole en 1996, lors d'un voyage aux pyramides du Mexique, au cours duquel je guidais 28 personnes pendant sept jours. Étonnant voyage, lui aussi parsemé de hasards qui n'en étaient pas. Dès les présentations, nous avons compris que nous serions amies. Je ne sais pourquoi, mais il y a parfois dans la vie de ces êtres que vous rencontrez pour la première fois et qu'il vous semble avoir toujours connus. Je puis vous dire qu'il en a été ainsi avec Nicole. Nous sommes donc amies depuis quelques années et, par elle, pendant ce séjour à Paris, je fais la connaissance de personnes angéliques avec lesquelles je sympathise pleinement.

Été 1999

Je suis au sortir d'une chimio difficile et je me rends, comme j'en ai parlé plus avant, à Carleton pour tout le mois de juillet.

La route est longue, mes nouvelles amies, j'oserais dire ces êtres de lumière représentés dans le rêve que je viens de vous raconter, connaissent mon état. Elles s'organisent donc pour que le voyage se fasse par étapes. Montréal-Québec en auto seule avec moi-même. Plusieurs jours à Québec chez Nicole, revenue de son long séjour à Paris, le temps qu'il me faut pour récupérer un peu. Québec-Rimouski avec Nicole au volant de ma voiture (elle s'est organisée pour revenir chez elle avec une amie que nous verrons à Rimouski). Arrêt de 24 heures au chalet de Martine pour une détente et, surtout, pour des retrouvailles avec les amies rencontrées à Paris ; se joignent au groupe d'autres personnes, inconnues jusque-là mais non moins déterminantes dans mon proche avenir. Un futur que je ne connais pas, mais que je perçois magnifique en raison du rêve. Et puis, il y a Carleton où la vision quotidienne de la baie des Chaleurs me pousse au désir de voir ma prochaine demeure située au bord de l'eau. Je souris car le seul bord de l'eau que je me plaisais alors à imaginer était les rives sud ou nord de l'Île-de-Montréal.

Automne 1999

Je suis encore au sortir d'une chimio. Chantale doit aller à Rimouski pour affaires. Elle m'offre ainsi qu'à Nicole de la rejoindre pour prendre un repos bien mérité chez Carolle, qui demeure au bord du fleuve. Nous arrivons donc chez cette amie et, à la vision du fleuve, je sens intérieurement que c'est à Rimouski que se trouve le bord de l'eau que j'ai tant désiré. Je suis très excitée, je dis à qui veut l'entendre que je déménage à Rimouski et je me couche le soir en demandant des signes confirmant cette fulgurante intuition. Eh bien, je vous le donne en mille ; dans les jours qui suivent s'offre à moi la possibilité de louer, pour une période de six mois, un chalet sur le bord du fleuve, juste le temps qu'il me faut pour trouver un logis permanent. Comme si ce n'était pas assez, s'ouvre aussi la possibilité de faire un lancement de mon livre à Rimouski et celle de me joindre à une personne rencontrée au chalet de Martine pour travailler, lorsque je serai en rémission.

Imaginez, depuis le mois de juin exactement, je vis la deuxième étape de ce fameux rêve fait en 1979. Depuis 1996, les pièces du casse-tête ont commencé à se mettre en place et c'est en juin 2000 que celui-ci prendra forme. C'est fascinant ! N'est-ce pas là l'exemple parfait d'une danse que j'ai exécutée au rythme des synchronicités, des coïncidences et des signes qu'heureusement, merci mon Dieu ! j'ai su percevoir ?

Et comme si ce n'était pas assez, me parvient, dès mon retour à Montréal, le plus merveilleux des signes. Vous devinez sûrement ce que c'est. Eh oui ! j'ai fait un rêve, un rêve des plus significatifs.

Rêve de la nuit du 21 novembre 1999

Là où il est question d'abondance

Je suis dans un casino avec une femme. Nous jouons aux machines à sous et j'ai nettement conscience d'appuyer sur le bouton RETURN. Quand j'appuie, il me revient toujours plus d'argent que j'en mets. Je le dis à ma copine qui fait de même, mais au bout d'un moment, elle disparaît en me laissant surveiller sa machine. J'essaie de le faire le mieux possible, mais en même temps que la mienne ça devient compliqué et je risque de tout perdre. Alors je décide de ne plus m'en occuper. Au bout d'un moment, je mise un dollar en papier et ma machine me renvoie des dizaines de montres et de cordes au bout desquelles sont attachés des cristaux.

Intéressant, n'est-ce pas ? Il est, en effet, question d'abondance. Mais le rêve ne fait pas allusion à une abondance gratuite. C'est à une abondance qui me vient après avoir pris un risque et après avoir fait le choix de miser sur moi. De plus, je dois le faire en acceptant de jouer au jeu de la vie (le casino y fait référence) et sans craindre de perdre. Le rêve me dit aussi que quand on mise sur soi, on obtient des résultats ; il y a toujours un retour, comme dans le *return* du rêve. Il faut tout simplement avoir confiance que l'on récolte toujours ce que l'on sème. La présence de cette amie fait allusion à la partie de moi qui doute, mais qui doit choisir de miser sur elle, plutôt que de s'inquiéter de l'abondance de tout un chacun. C'est en faisant ce choix que je serai sûre d'être là (comme dans « être devant ma machine ») quand il sera temps de récolter. Dans les rêves, l'argent est synonyme d'énergie. Dans ce cas-ci, le message qu'il véhicule est simple : plus on déploie d'énergie, plus on en reçoit. Une condition est cependant essentielle, il est nécessaire de faire un acte de volonté, c'est-à-dire de décider de s'engager et de s'investir avec confiance, avec plaisir et sans peur de perdre au jeu de la vie. Si on reste assis à regarder passer la vie, il n'arrivera rien. Ce sont les éléments suivants, soit les montres et les cordes, qui viennent expliquer cette essentielle condition. Un dicton affirme que « le temps, c'est de l'argent » ; le rêve me suggère, par l'image des montres, de prendre le risque de vivre ma vie comme on joue à un jeu et qu'ainsi je récolterai le temps de vivre et d'avoir du plaisir. Quant à l'image des cordes, je me réfère à un autre dicton : « se mettre la corde aux cou ». Le rêve me suggère ainsi de ne pas craindre de m'investir totalement dans des engagements et des attachements, car c'est aussi ainsi que je récolterai de plus en plus de la vie. En ce qui a trait à l'image suggérée par les cristaux, comme dans ma réalité, je leur attribue certains pouvoirs de protection et certaines caractéristiques spirituelles ; c'est donc à cette réalité que je me réfère pour en faire l'analyse. Le message que j'en tire est encore clair. À partir d'aujourd'hui, quand je m'engagerai à quoi que ce soit, de façon pleinement consciente, entièrement responsable et dans le plaisir, je serai aidée par la spiritualité déjà acquise, et cette façon de faire contribuera en bout de ligne (symbolisé par la corde) à ma progression spirituelle.

Je suis heureuse que ce chapitre se termine sur une note un peu plus spirituelle ; car là où il est question de synchronicité, il est aussi question de spiritualité... **ET LÀ OÙ IL EST QUESTION DE SPIRITUALITÉ, IL EST AUSSI QUESTION DE SAINTE-CHRONICITÉ !**

L'ESSENTIELLE SPIRITUALITÉ

Samedi 7 février 2000

Comment traiter de cette essentielle spiritualité, qui n'est d'ailleurs essentielle qu'à moi... à moins qu'il ne vous arrive, si ce n'est déjà fait, de la trouver vous-même essentielle un jour. D'ailleurs rien ni personne n'oblige quiconque à la juger ainsi, si ce n'est soi-même pour l'avoir découverte, expérimentée, appréciée, à tel point qu'elle en devienne essentielle.

Essentielle... parce qu'elle me permet de dire, après tout cet étalage de souffrances, de désillusions, de coups durs et de grands tournants, que grâce à elle je suis malgré tout restée curieuse de mon devenir d'être humain sensible à la vie et à tout ce qui l'entoure.

Essentielle... parce que je puis aussi ajouter que, malgré les doutes qui m'ont longtemps habitée, j'ai malgré tout conservé l'assurance qu'il existe un sens profond à cette vie que nous vivons. Ce sont cette curiosité et cette certitude qui m'ont amenée sur le sentier d'une recherche et d'une pratique spirituelle, et ce sont les doutes qui m'ont guidée sur le chemin de l'évolution.

Essentielle spiritualité, et non pas religion ou secte et règles de tout acabit qui prévalent au sein de ces regroupements, et non plus préceptes, commandements ou dogmes qui soumettent l'humain à une inconsciente croyance, mais...

Essentielle spiritualité... découverte au fur et à mesure des étapes de ma vie, expérimentée au fur et à mesure de mes prises de conscience, ressentie au fur et à mesure de ma disponibilité aux états de grâce et appréciée au fur et à mesure de ma participation à cet Ordre divin qui préside au fonctionnement de l'Univers.

Essentielle spiritualité... comme un élément de réponse aux multiples questions existentielles et aux recherches d'élévation. Comme un fil conducteur à travers les passages entre l'au-delà et la vie, et entre la vie et l'au-delà. Comme un moyen de contact permanent entre la matière et la dimension invisible de l'humain. Comme un guide sur les sentiers philosophique et métaphysique de cet homme en évolution.

J'ai aujourd'hui la certitude que je suis pleine de grâce et qu'en moi Dieu (l'Ordre divin, la Source, la Lumière, l'Esprit créateur, le Grand Tout ou l'Énergie cosmique, appelez-le comme vous le désirez) s'est fait chair. Oui, Dieu a fait de moi, comme de quiconque, un temple dans lequel il a élu domicile en permanence. Le Dieu qui m'habite a fait de moi un Dieu. Un Dieu tout-puissant.

Il fut un temps où je percevais Dieu, en dehors de moi, séparé de moi, comme une source divine de lumière et d'énergie à laquelle puiser, auprès de laquelle me nourrir. Cette façon de voir ne changeait en rien la pratique de ma spiritualité, mais me gardait en état de dépendance envers un invisible plus grand que moi.

Voilà que maintenant, je comprends dans toute son essence *La dixième révélation de la Prophétie des Andes*, de James Redfield. Je comprends qu'en étant Dieu, je deviens en totale interdépendance et qu'ainsi je ne peux passer à côté de la vie. Je ne peux non plus passer à côté du respect de la vie. En d'autres mots, je ne peux passer à côté du respect de la planète et des êtres humains, des animaux, des plantes, des minéraux qui y vivent ; non plus qu'à côté de tous les éléments qui participent à leur qualité de vie. Je ne peux passer à côté du respect de ma vie. En d'autres mots, je ne peux passer à côté du respect de mon corps et de mon esprit, de mes émotions, de mon âme qui y habitent ; non plus qu'à côté des multiples nourritures qui participent à sa qualité de vie. Je comprends que la spiritualité se vit du dedans pour émaner vers l'extérieur, et non l'inverse. C'est en la comprenant et en la vivant ainsi que l'humain devient tout-puissant.

Tout-puissant, non pas au sens de se retrouver sans possibilité de recours qu'en soi-même, ainsi que je l'avais durement compris à ma première lecture de *La dixième révélation de la Prophétie des Andes*, lecture après laquelle je m'étais sentie seule, isolée, séparée, mais...

Toute-puissante... au sens d'être capable d'états divins, d'inspirations divines, d'amour divin, de fusion divine, de décisions divines, de relations divines et d'évolution divine.

Tout-puissant, non pas au sens de pouvoir fasciste, autoritaire, extrémiste, intégriste et sectaire, ce qui n'est autre chose qu'une distorsion, qu'une perversion de la toute-puissance, mais...

Toute-puissante... au sens de témoigner du Divin jusque dans le moindre de mes gestes afin que mon exemple amène les autres à percevoir le divin en eux, le divin autour d'eux, le divin en chaque organisme vivant et, surtout, le divin en tout ce qui est si différent de moi.

Tout-puissant, non pas au sens de capable de pitié, de bénévolat qui donne bonne conscience ou de dons qui déculpabilisent, mais...

Toute-puissante... au sens d'être capable de compassion, d'amour, de fraternité et de solidarité.

Tout-puissant, non pas au sens de recherche de valorisation, de reconnaissance et de notoriété par égocentrisme ou par orgueil, mais...

Toute-puissante... au sens d'être capable d'amour de soi, de confiance en soi, d'estime de soi, de respect du cheminement des autres et de non-jugement de quiconque et de quoi que ce soit.

J'ai la certitude que tout intérêt que l'on porte à la vie ne prend son importance et sa signifiance que par la dimension spirituelle que l'on consent à lui donner. *« Bon, Catherine, je me suis tue jusqu'à maintenant, car j'aimais bien cette envolée... Divinement inspirée, cette dithyrambe ! Mais je crois que tu devrais redescendre au niveau des pâquerettes et, comme la simple mortelle que tu es, nous amener dans ton quotidien. Tiens, pour commencer, pourquoi es-tu si émue, si emportée ? »* Parce qu'en ce jour, mon fils Simon vient de sortir de son état *Teflon*, de son indifférence émotive à laquelle j'ai déjà fait allusion. Parce qu'en ce jour, il me donne accès à cette riche vie intérieure qu'il possède. Parce qu'en ce jour d'anniversaire de ses 22 ans, il me fait cadeau du passage d'une relation d'amour tacite à une intense communication avec moi où son Dieu intérieur se manifeste. Quel merveilleux événement que ce passage de la chrysalide au papillon ! Ce passage n'est nul autre qu'une initiation à la vie par laquelle il se fait le divin cadeau d'apprendre à s'ouvrir, à grandir en demandant conseil et à évoluer en ayant foi en la vie. N'ayez crainte, j'en viens bientôt aux faits, mais croyez-moi, il est difficile d'atterrir quand on est si émue et si totalement emportée. Un petit mot encore et j'accouche.

Mon émotion vient du fait que je n'ai jamais imposé quoi que ce soit de religieux ou de spirituel à mes enfants. J'ai tout simplement vécu ma vie intérieure, mes activités et ma recherche spirituelle à côté d'eux, sans jamais en parler, si ce n'est en répondant à leurs questions. Et voilà qu'aujourd'hui, j'ai la preuve que mon exemple a fait du chemin et que ce chemin mène encore plus loin que je n'avais même osé penser ni espérer. Ce plus loin n'est nulle autre que cette incontestable et immuable vérité du Dieu que l'on est. Ce plus loin est encore plus loin, parce que Simon a eu spontanément accès à son Dieu intérieur. Ce qui, dans mon cas, je m'en rends compte aujourd'hui, était demeuré une notion théorique, une vérité non intégrée, est devenu réalité. Simon, en me parlant de sa souffrance, de sa vision, de sa compréhension et de son action face à celle-ci, m'a montré la voie de l'appropriation de mon propre Dieu intérieur.

Je suis maintenant prête à vous raconter cette belle histoire — si simple en apparence, mais ô combien grande! — que Simon et moi avons vécue.

Avant Noël, Simon m'entretient sommairement d'une difficulté qu'il éprouve avec son amoureuse, laquelle habite en appartement avec lui depuis l'été dernier. Elle a d'ailleurs habité chez moi, toujours comme son amoureuse, pendant deux ans auparavant. Notre conversation est courte, lors d'un aller-retour chez ma fille, et se déroule sur le plan intellectuel, comme dans « Qu'est-ce que tu en penses? », « Et toi? », « Existe-t-il des solutions? Lesquelles? », etc.

Les fêtes se déroulent et sa copine vient à la maison une heure à Noël et pas du tout au Jour de l'an. Elle a de bonnes raisons: le bug de l'an 2000 en occupe plus d'un, mais mon petit doigt me dit qu'il y a là-dedans quelque chose d'anormal. Pour Simon cependant, rien n'y paraît. Moi, j'observe de loin, sans attente et sans jugement. Je suis contente, car j'arrive aujourd'hui à porter un regard sur les faits et gestes de mes enfants avec la capacité de ne pas intervenir. J'ai tant de fois dû me séparer d'eux pour des raisons de garde difficile à partager, que ça m'a donné l'occasion d'apprivoiser le détachement. Ainsi donc, dans la première semaine de janvier, une belle tempête de neige nous arrive et j'appelle Simon afin qu'il puisse m'aider à quelques tâches manuelles, dont celle de pelleter. Il accepte et s'exécute.

— Ah oui, en passant M... et moi, on n'est plus ensemble, me dit-il au moment de partir de la maison. On continue à partager l'appartement jusqu'au mois de juin et, ensuite, on verra.

— Ton petit cœur, comment prend-il cela?

— Je m'y attendais un peu, mais ça va. C'est plate, mais ça va.

— En tout cas, si tu as besoin, je suis là.

Il est vrai que le fait de partager encore son chez-soi avec la personne que l'on vient de quitter empêche de sentir vraiment l'ampleur du drame. Toujours est-il que deux semaines passent et que, de loin, je ne vois rien venir. Lorsque je songe à cette rupture, je crois qu'il n'y a tout simplement plus d'amour entre eux... jusqu'au jour où Simon fait appel à moi. À sa voix au téléphone, je me rends tout de suite compte que quelque chose ne va pas. Il pleure.

— Ça ne va pas du tout, m'avoue-t-il.

Je suis estomaquée. Simon vit une peine d'amour, une vraie, la première, la plus dure, la plus éprouvante, la plus marquante, celle qui peut nous fermer le cœur pour longtemps. Je ressens son grand besoin de s'ouvrir, de vérifier son ressenti et de partager. Je le comprends, je le lui dis et je l'invite à la maison pour vivre cela avec moi... Il arrive. Là, nous nous racontons ; là, nous nous rencontrons !

Il me parle du vide intérieur que l'absence de M... lui crée. Me dit qu'il ne comprend pas cela, car avant M..., la solitude et le silence lui allaient très bien. Me raconte sa vie intérieure d'alors et me dit ne plus arriver à retrouver cela, à recréer le contact avec son Dieu intérieur. Me dit avoir quand même réussi aujourd'hui à éprouver de la joie aux chants des oiseaux rencontrés sur le chemin vers la maison. Il pleure, je le prends dans mes bras, il a de la tension dans le cou, je le masse, il pleure à nouveau, je le laisse pleurer. Nous mangeons bien, il en a besoin, moi aussi. Nous parlons spiritualité, évolution, événements qui font grandir, peines à vivre au présent, recherche spirituelle, forces et faiblesses, confiance en soi et respiritualité et reDieu et repleure...

Fort heureusement, de tout cela ressort une réalité qui a son importance, compte tenu de mon expérience personnelle.

Il n'est ni désespéré ni dépressif ; il sait déjà que le temps fait bien les choses et que la vie l'appelle au tournant. Il pleure des larmes qui guérissent. Je suis émerveillée et comblée. Voilà aussi que mon enfant me parle du livre *L'alchimiste* de Paulo Coelho et de la vision de sa propre vie. Voilà que je lui prête une cassette de méditation. Voilà que nous sommes dans une profonde communication où nous restons totalement dans le cœur et dans l'amour. Quelle belle leçon de vie ! Quelle merveilleuse expérience ! Il est venu vers moi en me demandant, je l'ai accueilli en lui donnant et c'est lui qui m'a donné et c'est moi qui ai reçu. Comme quoi ouvrir son cœur est et sera toujours la Voie.

Essentielle spiritualité... qui utilise aussi la voie onirique, ou celle des rêves si vous préférez, pour se manifester à nous. Vous me voyez venir avec mes gros sabots, n'est-ce pas ? Mais je ne peux y échapper et vous non plus d'ailleurs ! Les rêves font partie de nos vies, de nos nuits devrais-je dire, que nous le voulions ou pas, que nous en soyons conscients ou pas ! Chaque fois que nous vivons une expérience importante, nous faisons à ce propos un rêve tout aussi important. Et pour ne pas manquer à cette règle, voici comment mon inconscient a fait allusion à l'expérience que je viens de vous relater.

Rêve du 10 février 2000

VOYAGER DANS LA NUIT AVEC CERTITUDE

Je suis au volant de ma voiture et je me dirige vers l'est du Québec, avec l'intention d'atteindre la mer à l'embouchure du fleuve. Il fait nuit noire et je vois de moins en moins où je vais, mais je ne suis nullement inquiète. Je sais que, pour m'éclairer à l'aide des phares de ma voiture, je dois accélérer, ce que je fais d'ailleurs. Je sais aussi que, même si je ne vois rien, je suis sur la bonne voie. Je n'ai pas du tout peur de me tromper de route.

> Après un assez long moment de conduite dans le noir, j'arrive à une croisée de quatre chemins. Il fait clair et je peux voir la direction à suivre. Une seule est indiquée et c'est Marie-Divine qui est inscrit sur le panneau.

Vous rappelez-vous la trilogie des films de Spielberg : *La guerre des étoiles*, *L'empire contre-attaque* et *Le retour du Jedi* ? Dans ces films, le Jedi enseigne à Luke à utiliser son intuition, sa force intérieure et sa concentration pour se battre contre l'ombre. Il va jusqu'à lui bander les yeux pour l'obliger à développer, *de l'intérieur*, ces qualités qu'il juge essentielles pour faire triompher la lumière. À l'époque, quand ces films ont été projetés sur nos écrans, toute cette extraordinaire fable apparaissait à plusieurs d'entre nous comme une belle fiction. Mais aujourd'hui, je sais que la bataille entre l'ombre et la lumière brossée dans ces films est à peine une allégorie de la réalité. Oui, nous avons tous à livrer cette bataille contre notre côté sombre et celui du Tout humain habitant notre planète. Nous avons tous une force intérieure qui nous indique quoi faire et comment le faire pour triompher. Nous le faisons évidemment de façon plus ou moins consciente, mais plus nous nous appliquons à développer ce contact, ce dialogue avec notre invisible Dieu intérieur, plus nous nous donnons d'outils pour percevoir notre ombre et faire émerger la lumière.

Eh bien, ce rêve symbolise exactement cela ! N'aie pas peur, suis ton chemin, ta lumière intérieure te guide (symbolisé par ma capacité de conduire sans éclairage). Aller vers l'est, là où le soleil se lève, est symbolique du chemin à parcourir pour aller vers la lumière. Aller vers la mer, à l'embouchure du fleuve, là où ce fleuve devient océan, est symbolique de la progression de notre vision du petit vers un invisible plus grand. Au départ, je ne sais pas qu'un océan m'attend, mais je crois qu'en suivant mon chemin, sans crainte, avec la certitude intérieure de faire ce que je dois faire, j'atteindrai mon but qui m'en fera suivre un autre, puis encore un autre et ainsi de suite. J'ai cependant toujours le choix (symbolisé par la croisée des chemins) et mon rêve m'aide encore en me disant que la direction à suivre dans ma vie présentement est celle de Marie-Divine, au sens de marie-toi avec Divine et suis la voie de l'essentielle spiritualité.

Essentielle spiritualité... comme un des grands éléments à considérer par l'homme pour s'accomplir et se réaliser.

Les grands éléments constituants de l'homme sont sa « physicalité », son émotivité, son intelligence et son âme. Croyez-moi, l'un ne va pas sans l'autre, j'en suis la preuve vivante. La science médicale admet plus facilement aujourd'hui l'impact des émotions sur le développement d'une maladie, par exemple. Parmi eux, certains osent aller encore plus loin. Le docteur Carl Simonton, un cancérologue reconnu et pionnier du traitement psychologique du cancer, est de ceux-là. Dans son livre *L'Aventure d'une guérison*, il affirme que l'homme doit établir ou rétablir le contact entre le corps, l'esprit et le spirituel pour arriver à combattre la maladie ou conserver une bonne santé. Dans ce même livre, il fait état de la sagesse intérieure, comme puissance spirituelle susceptible de faire la différence entre la guérison ou l'absence de celle-ci. Dans son livre *Esprit éternel et corps sans âge*, le docteur Deepak Chopra s'exprime en ces termes : « La biochimie du corps est un produit de la conscience. Les croyances, les pensées et les émotions créent les réactions chimiques qui maintiennent en vie chaque cellule. Une cellule âgée est le résultat d'une conscience qui a oublié comment rester neuve. » Ainsi donc, plus l'homme travaillera à harmoniser ses grands éléments constituants, plus il sera en équilibre et en santé. En ce qui me concerne, j'ai compris que même si, jusqu'à aujourd'hui, j'avais travaillé au développement de ma spiritualité, quelques facteurs absolument nécessaires brillaient par leur absence.

Le premier de ceux-ci est sans contredit le manque d'unification entre les grands éléments. En d'autres termes, vivre sa spiritualité séparée de l'intérêt nécessaire à la santé et aux besoins physiques, émotionnels et intellectuels est source de déséquilibre. Dans son livre *Les neuf visages du Christ*, Eugene E. Whitwhort y fait allusion en ces termes : « L'homme fut doté d'un corps, d'une intelligence et d'un esprit. Le corps de chair était le temple physique. L'intelligence et les émotions avaient la garde et la charge du bien-être du corps. L'esprit était l'essence rayonnante du Dieu tout-puissant qualifiée pour l'usage de l'homme et résidant dans sa chair. L'homme pouvait alors exister comme un animal humain, comme un homme mental ou comme un Esprit vital et créateur. » La religion catholique s'est faite la grande enseignante de cette séparation... nier le corps et ses besoins pour ne penser qu'à Dieu et, qui plus est, à un Dieu extérieur à nous. C'était l'un de ses credo. Cela nous rendait automatiquement coupables dès que nous privilégions la vulgaire voie du plaisir au détriment de nos exercices spirituels, par exemple.

Le deuxième facteur réside dans le peu d'amour que nous nous accordons nous-mêmes en tant qu'individus, dans toutes nos relations avec les autres. Là aussi, la religion catholique s'est faite l'ardente défenderesse de la veuve et de l'orphelin au détriment de l'amour de soi. Le Christ avait pourtant si bien dit : « Aime ton prochain comme toi-même. » Mais la sacro-sainte Église catholique a préféré nous amener à donner la priorité aux autres, bien avant notre relation à nous-mêmes. Nous avons longtemps été très loin d'être responsables de la garde et de la charge de notre corps en tant que temple divin. Il valait mieux ne pas trop nous connaître et nous individualiser ; nous demeurions ainsi plus vulnérables et, par le fait même, plus dépendants ; nous étions totalement en déséquilibre et, par le fait même, manipulables.

Le troisième facteur réside dans toutes les fausses croyances à la base de notre pratique spirituelle. À titre d'exemple, celle du jugement dernier, celle de la colère de Dieu, celle de l'infaillibilité du pape, celle du pouvoir des prêtres, celle de Satan, celle de la sainteté, celle du péché et de son châtiment qui ont été bien souvent à la base de nos actions et de nos choix. Cela s'étendait jusqu'à notre intime compréhension de la notion du bien et du mal. Imprégnés de telles croyances, comment pouvions-nous être en équilibre ?

Il n'est pas difficile de comprendre pourquoi beaucoup d'entre nous se sont tournés vers les religions orientales. Nous cherchions un moyen de vivre *autrement* notre spiritualité. Car nous en désirions une ! Pourquoi ? Parce que celle-ci est *essentielle* à la vraie vie ! De plus, nous en voulions une qui ne nous mènerait plus au déséquilibre ni à la frustration ! Pourquoi ? Parce que celle-ci est *essentielle* à la parfaite réalisation de la mission de chacun sur terre.

L'Univers est comme un immense canevas sur lequel chaque humain a une partie prédéterminée à tisser. Il la tisse sur un motif différent, avec des fils différents et des couleurs différentes. Il possède cet attirail en propre dans son coffre à outils. Il participe donc ainsi, par sa différence, à l'élaboration de cette tapisserie, de cette grande œuvre, à laquelle il se sent indéniablement appelé. Et ce n'est qu'en prenant conscience de son individualité, de sa spécificité, de sa sagesse intérieure, de ses forces et de ses faiblesses et qu'en aimant cela par-dessus tout que chaque être humain pourra accomplir sa mission en s'y consacrant pleinement. C'est également en prenant conscience de sa participation à cette œuvre universelle, à cette aventure humaine, qu'il comprendra l'importance du rôle et de la spécificité de chacun, qu'il respectera les différences et qu'il mettra tout en œuvre pour favoriser sa propre interdépendance et sa propre interaction avec les autres. Il prendra aussi conscience de son équilibre et de l'importance de l'équilibre de tout ce qui l'entoure, ainsi que du rôle de chacun dans la préservation de cet inqualifiable équilibre de l'environnement. Il saisira l'importance de garder le contact, l'harmonie et l'unité entre son corps, ses émotions, son mental et son âme. Il saisira l'importance de garder le contact entre lui-même, les autres et ce Grand Tout universel. C'est par cela, et par cela seulement, que peuvent exister les notions de développement personnel, de réalisation de soi, d'accomplissement de sa mission et d'évolution, qu'en d'autres mots j'appelle spiritualité.

C'est à cela que tous sont appelés, mais c'est aussi à cela que tous, sans exception, sont totalement libres d'adhérer ou non.

J'entends d'ici certaines personnes dire : « Oui, mais mère Teresa et combien d'autres inconnus dans la Cité de la joie à Calcutta, ou ailleurs en Afrique ou même ici au Canada au début de la colonie et encore aujourd'hui auprès des jeunes de la rue, se sont oubliés au profit des autres ? » Oui, cela est vérité ! Mais ces êtres ont eu, avant toute chose, une connaissance d'eux-mêmes et de leur potentiel et par là même, bien inconsciemment parfois, de leur mission. Ce préalable leur a permis d'utiliser leur spécificité pour tisser leur propre partie de tapisserie et ainsi de participer à l'élaboration de la Grande Œuvre humaine. Ils n'ont pas essayé, j'en suis sûre, d'être autres qu'eux-mêmes et de faire autrement que ce qu'il leur était possible de faire.

C'est ici qu'il est important de comprendre que nous ne sommes pas tous appelés à faire l'œuvre de mère Teresa... Nous sommes tous appelés à faire *notre* œuvre ! Celle d'administrer des hôpitaux pour ceux qui ont à soigner, celle de ramasser des fonds pour ceux qui ont à être sur le terrain, celle d'être derrière ceux qui ont à être devant, celle d'écrire pour ceux qui ont à lire, celle de peindre pour ceux qui ont à regarder, celle d'être mère pour ceux qui ont à être enfants, etc. De là l'importance de savoir qui l'on est, dans son entièreté : corps, cœur, esprit. De là l'importance d'éviter à tout prix la comparaison. De là l'importance d'aimer totalement ce potentiel, avant même de se demander quoi accomplir et comment l'accomplir. Il faut, avant toutes choses, résister à la pression de la société du faire et donner tête baissée dans la connaissance de soi.

Plusieurs des personnes citées ci-dessus seraient difficilement arrivées à dire quelle était leur mission. Pourquoi ? Parce que l'important n'est pas de connaître sa mission, mais d'arriver à être qui l'on est vraiment... Cette mission s'accomplissant alors d'elle-même. L'on ne peut être totalement qui on est que si on laisse les autres être qui ils sont... Leur mission s'accomplissant alors d'elle-même. Et nous voici revenus à la case départ.

Depuis que l'homme existe, il a conscience de la présence d'un Tout invisible avec lequel il entre spontanément en relation. Ce Tout invisible est une partie de moi, une partie de chacun de nous et, je crois aussi, une partie de tous ceux qui sont déjà décédés et qui participent, à leur façon, à l'élaboration de la tapisserie. Ce Tout n'existe que par cette étroite relation entre toutes ces énergies. Le Grand Tout ne peut lui-même exister que par l'existence d'un Ordre universel que certains nomment lois cosmiques. Cet Ordre cosmique influence nos moindres décisions et nos moindres gestes, nous laissant le libre arbitre d'agir à notre façon, sur le terrain qui nous est dévolu et avec les moyens qui nous sont propres. Ce n'est que quand je voudrai tisser sur le terrain de l'autre, avec les outils de l'autre, le même motif que l'autre, que l'Ordre universel me signifiera que je suis désunifiée et séparée du tout. Il me le fera savoir en me poussant habilement, par des événements, des maladies, des synchronicités, des rêves ou des inspirations, à reprendre contact avec mon être, mon individualité et mon interdépendante existence.

Un jour, j'ai perdu le contact, un jour, j'ai été séparée du Grand Tout. Chanceuse que je suis, un jour, un rêve me l'a fait savoir ainsi.

Rêve de la nuit du 18 juillet 1998

AIDE SPIRITUELLE

Je suis dans une tourbière, embourbée dans une allée creuse. Ça pue et je me sens prise au piège. Je demande alors de l'aide, comme quand on implore Dieu. Je demande qu'on me tende la main, toujours en faisant allusion à une aide spirituelle. Je sais que je dois le dire en anglais, ce que je fais. Un homme habillé de blanc

m'apparaît alors, il est chauve et a l'allure d'un guru indien. Il vient avec moi dans la tourbière, puis il m'apprend
à en sortir.

Le Christ a dit (je paraphrase) : si tu trouves la vie difficile à vivre, les choses difficiles à faire, c'est que tu essaies de
la vivre et de les faire sans moi, c'est-à-dire sans ton Dieu
intérieur. Ce rêve est un exemple de cette situation que je
vivais et illustre bien tout ce que j'ai écrit précédemment. En
effet, cette période, qui correspond au début du cancer, en
était une de complète désunification et de séparation du
Grand Tout. Mon rêve me brossait clairement la situation. Tu
es embourbée, ma belle, et un des moyens de t'en sortir, si tu
veux l'employer bien sûr, c'est de demander de l'aide, en
anglais en plus et à un étranger de surcroît. Pourquoi tous ces
symboles? Parce que mon inconscient m'indiquait par là que
je devais le faire autrement (symbolisé par la langue anglaise)
et différemment (symbolisé par le guru indien) que je ne
l'avais fait jusqu'alors. De plus, il me faisait comprendre que
quand on est unifié, on n'est jamais seul (le guru qui vient
avec moi dans la tourbière en est le symbole). Il me signifiait
aussi que cet accompagnement me donnait les moyens
d'apprendre à m'en sortir. Car dans le rêve, je demandais tout
simplement qu'on me tende la main et cet être spirituel, au
lieu de le faire, venait avec moi dans la tourbière pour m'apprendre à m'en sortir, pour me permettre de comprendre
l'enseignement et, par là, d'intégrer la notion d'une vie uni-
fiée. Autrement dit, ne faire qu'une avec mon Dieu intérieur.
Un élément m'apparaît essentiel dans ce rêve, il constitue l'élément clé de la progression spirituelle et il consiste à demander.
Demander veut dire être humble et admettre que je ne peux
grand-chose seule, que tout est interdépendant. Par contre, si
je tiens à m'en sortir seule et à tout contrôler seule, je m'em-
bourberai dans une vie difficile où il ne fait pas bon vivre.

J'avais compris à l'époque de l'analyse du rêve que j'étais
perdue et empêtrée dans une vie difficile à vivre. La notion

de séparation du Grand Tout ne m'est venue que plus tard, lorsque j'ai compris qu'une spiritualité intégrée ne se vit que dans la plus grande humilité. Une humilité essentielle aux prises de conscience qui, elles-mêmes, sont essentielles au développement personnel qui, lui-même, est essentiel au dépassement de l'ego, qui, à son tour, nous permet d'être disponibles à l'autre. Et nous voici de retour à la case départ.

Toutes les théories, les connaissances et tous les grands principes du monde ne font pas le poids sans la spiritualité. Ce sont bien sûr des facteurs aidants, mais ce n'est qu'en travaillant quotidiennement et inlassablement à la connaissance de soi, dans la joie, l'humilité et l'amour que l'on peut sans cesse accepter de se tromper et de recommencer l'expérience de la vie. C'est en vivant totalement sa vie en toute connaissance de soi que l'on peut accéder à... **UNE SPIRITUALITÉ INTÉGRÉE, VÉCUE ET SATISFAISANTE !**

PARLONS-NOUS D'AMOUR

Mercredi 22 avril 2000

En inscrivant cette date, je me rends compte qu'il y a trois 2 et trois 0 dans celle-ci. Curieusement, le chiffre 2 symbolise l'amour. Certains numérologues diront que l'amour est représenté par le 6 et ils auront, d'une certaine façon, raison. Mais c'est de l'amour inconditionnel, de l'amour altruiste dont il est question et le 2 en est la meilleure représentation. Quant aux 0, ils offrent là une magnifique occasion d'occuper un espace encore inutilisé. Et, ma foi, à quoi d'autre que l'amour pourrait servir cet espace, quand les 0 sont si fortement accompagnés de 2 ? *« Bon, Catherine, c'est très, très, très intéressant, la numérologie, mais je crois que ce n'est pas le propos. »* Oui, c'est vrai, mais comme vous commencez à mieux me connaître, vous savez que j'aime traiter de ce qui me passionne et l'occasion était trop belle pour ne pas la saisir.

Même si j'ai parlé d'amour tout au long de ce livre, il m'est apparu très important d'aborder ce thème en un seul chapitre. Aujourd'hui plus que jamais, je suis convaincue que l'amour est un élément aussi essentiel à la guérison que ne l'est la spiritualité. Depuis mai 1998, je vis avec le cancer. Vingt-trois mois au cours desquels j'ai tenté d'en comprendre le pourquoi et le comment. Non pas que j'aie totalement atteint la rémission en date d'aujourd'hui, mais plutôt parce que j'ai enfin acquis la certitude intérieure que la guérison est un long processus de responsabilisation, de choix et d'interventions de toutes sortes qui atteindraient très difficilement leurs buts sans l'amour pour le maintenir constamment dans la lumière.

Évidemment, il est question de l'amour auquel le Christ a toujours fait référence et non de celui au nom duquel la religion catholique et ses dignes représentants nous ont si bien programmés. Non plus que de celui au nom duquel nous avons souffert et nous nous sommes parfois asservis en prenant passion et dépendance pour de l'amour. En effet, nous avons été éduqués à considérer l'amour comme un sentiment obligatoire et inconditionnel à éprouver pour notre prochain. Y a-t-il quelque chose de plus difficile à faire que d'aimer quelqu'un ou quelque chose que l'on n'aime pas de façon naturelle ? C'est pourtant ce que nous avons appris à faire. Heureusement, aujourd'hui, je vois les choses tout autrement. Je sais qu'aimer l'autre inconditionnellement ne vient qu'après s'être *aimé soi-même inconditionnellement.*

Apprendre à aimer ne s'étudie pas dans le *Petit Catéchisme.*

Apprendre à aimer se fait par l'exemple, au jour le jour, au fur et à mesure d'expériences d'amour concrètes, et ce, dès la petite enfance.

Apprendre à aimer se fait en regardant les autres s'aimer mutuellement.

Apprendre à aimer se fait en regardant les autres nous aimer.

Apprendre à aimer se fait en regardant chacun, chacune, s'aimer personnellement.

Si nous n'avons pas eu cet exemple, comment pouvons-nous arriver à comprendre ce qu'est l'amour, à connaître ce qu'est l'amour et à en faire l'expérience ? Quelques privilégiés ont cependant eu ce bonheur. Pourquoi ? Parce qu'ils ont eu des parents, une famille, un milieu et des amis, qui avaient eux-mêmes eu des parents, une famille, un milieu et des amis, qui avaient eux aussi eu la chance d'avoir... bref, cet exemple d'inconditionnel amour. Ou alors ils ont eu la chance d'être assez conscients pour se révolter contre tout ce qui n'était en somme que de l'hypocrisie. Quand j'écris cela, croyez-moi, je ne suis pas en train de jeter la pierre à quiconque et surtout pas à mes parents. Je suis tout simplement en train de brosser un tableau de notre société des années 1950, conformiste, bourgeoise et préoccupée beaucoup plus par le qu'en-dira-t-on que par l'intégrité et la vérité. Je ne suis pas non plus en train d'énoncer qu'au cours des 51 dernières années, je n'ai pas aimé, non. Je suis tout simplement en train d'écrire que, pendant 51 ans, j'ai essayé d'aimer. J'ai essayé, comme mes parents, ma famille, mon milieu et mes amis, d'aimer de mon mieux. J'ai tenté d'aimer de toutes mes forces, sans toutefois y arriver pleinement et inconditionnellement.

J'ai beaucoup aimé les autres... souvent par peur de ne pas aimer suffisamment !

J'ai beaucoup aimé les autres... souvent jusqu'à donner au-delà de mes forces et de mes capacités !

J'ai beaucoup aimé les autres... souvent plus que moi-même par peur d'être égoïste !

J'ai même fait semblant d'aimer... souvent par crainte de la culpabilité de ne pas aimer !

Oh oui ! j'ai beaucoup aimé... mais si mal en même temps !

CE FUT LÀ OÙ LE BÂT A BLESSÉ ! J'ai aimé les autres... jusqu'à ce que je comprenne que je n'aimais que les autres et que je n'avais aucun amour pour moi. Ma réaction inconsciente à cet état de fait a été de demander encore et encore qu'on m'aime, d'exiger qu'on m'aime, de tout faire pour qu'on m'aime.

J'ai aimé les autres... jusqu'à ce que je comprenne que je ne pouvais demander à quiconque d'aimer ce quelqu'un que je n'aimais pas moi-même. Pis encore, je ne pouvais demander à personne d'aimer ce moi-même que je ne croyais pas aimable, au sens de digne d'amour. *« Catherine, c'est énorme ce que tu écris là. Il me semble que ce ne fut pas si dramatique que cela. Tu as aimé, tu t'es aimée, tu as été aimée. Le jugement n'est-il pas trop fort ?*

Il est vrai qu'il y a toujours eu de l'amour dans ma vie. Mais pas de cette sorte d'amour que je vis et que je sens présentement. Si j'ai écrit ce qui précède avec autant d'autocritique, c'est afin de cesser une fois pour toutes de me réconforter avec les « ce n'est pas si pire que ça ». J'ai eu besoin de sonder mon cœur et, surtout, de ne pas me raconter d'histoires. J'ai eu besoin de changer les données, de changer mes valeurs de base. J'aimerais tellement arriver à mettre en mots cette impression de différence qui m'habite. C'est au plus profond de mon être que se manifeste cette subtile sensation qui crée une ouverture du cœur ; oui, voilà, c'est cela, j'ai trouvé ! Avant, j'employais les mêmes paroles et les mêmes gestes d'amour qu'aujourd'hui, mais les blessures et les souffrances non conscientisées, non résolues et non guéries tenaient mon cœur fermé. Maintenant, au bout de ce grand ménage entrepris à l'aide de la thérapie, j'arrive à faire en sorte que tous mes gestes, petits ou grands, soient mus par l'ouverture du cœur.

Je veux vivre de l'amour qui guérit, de l'amour qui ne souffre pas, de l'amour qui n'attend pas, de l'amour qui pardonne, de l'amour qui aime, de l'amour qui reconnaît, de l'amour qui ne compare pas, de l'amour qui réinvente chaque geste, de l'amour qui voit, qui entend et qui parle, de l'amour qui rayonne, de l'amour qui éclabousse tant et tant qu'il sera désormais difficile de ne pas l'attraper. Je dis bien l'attraper, comme dans contagion, car l'amour s'attrape. Côtoyez des gens d'amour et vous voudrez vous-même devenir une personne d'amour. Je suis bien placée pour en parler. Que d'amour et de gens d'amour j'ai rencontrés sur ma route depuis trois ans ! « *C'est vrai, Catherine, mais quand même, tu as travaillé fort pour y arriver, tu t'es posé bien des questions, pour lesquelles il t'a fallu aussi trouver bien des réponses.* » En effet, ces questions furent légion et de l'ordre des « Est-il possible de s'aimer sans égoïsme, sans orgueil et sans vanité ? », « Avons-nous le droit de nous aimer et d'être fiers de nous-mêmes, alors que toute notre éducation nous a appris à prendre la pitié ou le désir sexuel pour de l'amour, la fierté pour de l'orgueil, le respect de soi pour de l'égoïsme, l'estime de soi pour de la vanité ? ».

CE FUT LÀ LE COMPLIQUÉ ! Il m'a fallu défaire cette programmation si bien ancrée en moi pour m'appliquer à rebâtir une vison — ma vision — de l'amour sur de nouvelles bases. J'ai repris cela depuis le tout début en me référant à l'enseignement du Christ : « Aimez-vous les uns les autres comme vous-même vous vous aimez. » C'est donc l'amour de soi, l'amour de moi, qui fut la pierre angulaire de ma nouvelle vision. *« C'est bien beau tout ça, Catherine, mais ça se fait comment s'aimer ? »*

C'EST LÀ LE DIFFICILE ! J'écris cette phrase au présent parce que je souhaite que cette démarche d'amour envers moi-même, quoique commencée depuis des années, évolue sans cesse et à l'infini. Pour y arriver, j'ai tenté de répondre une à une à toutes ces questions :

Comment arriver à s'aimer suffisamment pour pardonner aux autres et à soi-même ?

Comment arriver à s'aimer suffisamment pour se respecter soi-même et se faire respecter des autres ?

Comment arriver à s'aimer suffisamment pour que son cœur sans cesse débordant d'amour ne se tarisse jamais du don consenti ?

Comment arriver à s'aimer suffisamment pour comprendre le manque d'amour du voisin ?

Comment arriver à s'aimer suffisamment pour que le don ne soit ni sacrifice ni privation ?

Comment arriver à s'aimer suffisamment pour que l'amour devienne ingrédient essentiel à toute pensée, à toute parole ou à tout geste que l'on dit ou fait ?

Comment arriver à s'aimer suffisamment pour aimer par-delà la méchanceté, la violence et la mesquinerie ?

Comment arriver à s'aimer suffisamment pour croire en l'amour de l'autre ?

« En effet, comment arriver à s'aimer suffisamment pour... ? As-tu une réponse, Catherine ? » J'ai certes une réponse, ou plutôt je répondrai que j'ai des outils. Ils m'ont été utiles et efficaces. Puisse-t-il en être de même pour vous.

J'ai d'abord fait l'exercice de L'ARRÊT SPONTANÉ. Cet exercice consiste à s'arrêter à tout moment de la journée, quand on se lave les mains ou qu'on se brosse les dents, par exemple, et à se demander si l'on s'aime totalement à travers les paroles, les pensées et les gestes qui ont meublé les heures qui viennent de passer. Cet exercice consiste aussi à se demander si l'on aime la vie, si l'on aime ce que l'on fait à ce moment précis. Essayez-le, vous verrez qu'il est un bon baromètre pour jauger votre amour de vous-même et de la vie que vous vous êtes faite. Il nous fait prendre conscience d'un quotidien agréable ou désagréable et nous permet d'apporter les rectifications nécessaires.

J'ai par ailleurs mis en pratique deux autres exercices dont je traite plus longuement dans mon premier livre *Ouvrir sa conscience.* Le premier consiste à faire quotidiennement l'exercice du BILAN. Je le fais régulièrement au coucher, au cours de ce moment que l'on réserve habituellement à la prière, à la visualisation et à la méditation. Ce moment est un bel espace pour s'évaluer, se pardonner et s'aimer à travers la journée qui vient de se terminer. Il permet de jeter un regard sur les jugements, souvent trop sévères, que l'on porte envers soi. Il permet de rectifier rapidement le tir par rapport aux sentiments et aux émotions que nous éprouvons, nous donnant ainsi l'occasion de traiter sans retard toutes affaires que nous préférerions enfouir. Ces affaires ne laissent dans l'instant qu'un vague malaise mais, parce qu'elles sont mal réglées ou pas réglées du tout, elles se rappellent un jour à notre mémoire, troquant le malaise pour une pressante envie de vomir en bloc ce qui nous faisait mal au cœur depuis longtemps.

Le deuxième exerce consiste à faire un CURRUCULUM VITÆ. Je ne rate jamais l'occasion de me servir de cet outil lors de grands chambardements. Il ne rate jamais l'occasion de me prouver que je suis aimable. Il s'agit de transcrire dans un curriculum vitæ exhaustif, à l'occasion des grands moments d'interrogation et de questionnement de notre vie, toutes nos expériences positives, celles dont nous sommes fiers, non seulement sur le plan professionnel, mais aussi sur les plans humain, artistique, sportif, etc., et ce, en remontant à nos plus vieux souvenirs. En plus d'équilibrer nos expériences positives avec les expériences négatives dont nous sommes trop souvent et trop facilement portés à nous rappeler, ce formidable exercice nous permet de nous rendre compte que nous avons fait de belles et bonnes choses et que nous avons de quoi être fiers de nous-mêmes. Cet outil est particulièrement utile quand, pour une raison ou pour une autre, nous nous sentons dévalorisés et que notre estime de nous-mêmes est au plus bas.

Évidemment, arriver à nous aimer et à être fiers de nous, sans jamais remettre en question notre propre jugement de nous-mêmes, sous-entend que nous avons défait le « tricoté serré » de la peur, de la manipulation émotive, de la culpabilité et du jugement légué par la religion, l'éducation et la société. Sinon, il ne sert à rien de répéter pendant 1000 ans que nous nous aimons, que nous sommes fiers de nous-mêmes et de ce que nous avons accompli, car une subtile petite voix venant de notre enfance, une voix en arrière-plan, une voix de jugement, viendra toujours mettre un doute sur ce que, rationnellement, nous tentons d'établir. Défaire ce tricot si bien monté nécessite de l'attention, du travail et de la persévérance. Là encore, j'y suis arrivée à l'aide des moyens que voici.

Le premier de ces moyens est la THÉRAPIE. Certes, les lectures, les partages entre amis et les conférences nous aident à faire d'importantes prises de conscience, mais rien ne vaut la thérapie et le thérapeute pour obtenir un miroir de nos propres aberrations, de nos propres errances, de nos propres préjugés et de nos propres croyances. Cette thérapie ne doit pas être l'affaire d'un jour. Il faut y mettre le temps, car derrière une aberration, il y a une autre aberration, derrière une errance, il y a une autre errance, derrière un préjugé, il y a un autre préjugé et derrière une croyance, il y a une autre croyance. Il faut y mettre le temps. Quant à moi, j'ai eu recours à la thérapie à quelques reprises jusqu'à ce jour. Sauf pour la dernière qui s'est échelonnée sur deux ans à raison d'une séance par semaine, les autres se sont déroulées chaque fois sur à peu près une année. Sauf aussi pour la dernière, qui en était une en profondeur, les autres m'ont permis de régler un état de crise et fait le cadeau de m'approcher un peu plus de moi-même.

Au risque de me faire jeter la pierre ou accuser de promouvoir le métier de thérapeute, j'ose affirmer que suivre une thérapie amène à une totale responsabilisation face à sa vie et à une totale connaissance de soi. J'ose aussi affirmer qu'il n'est de vie consciente et épanouie que s'il y a totale reconnaissance de soi et que ceci n'est possible que par un cheminement conscient, acharné et de longue haleine. « *Là, Catherine, je trouve que tu exagères pas mal !* » En effet, j'y vais peut-être un peu fort. Il est certain que je ne peux affirmer que je possède la solution miracle. Je suis même prête à admettre que si ce moyen fut bon pour moi, il ne l'est peut-être pas pour tous et il n'est peut-être pas le seul. Mais laissez-moi tout de même vous dire qu'il a constitué un outil efficace pour beaucoup de gens qui m'entourent. Encore faut-il évidemment désirer se connaître et évoluer ! Je respecte ceux qui décident de ne pas ouvrir cette porte, car leur choix est alors un choix conscient qu'ils assument pleinement. J'estime que cette responsabilisation est tout aussi respectable.

Le deuxième moyen en est un que j'ai abondamment utilisé, que j'utilise encore et que je ne cesserai jamais d'utiliser ; il s'agit de l'ANALYSE DES RÊVES. Toute ma vie consciente, depuis l'âge de 28 ans, a été jalonnée de rêves qui m'ont amenée à des prises de conscience et à des actions. Ce livre en fait d'ailleurs foi et j'ose espérer qu'il en mettra plus d'un sur la voie de leurs propres rêves, miroirs de leur inconscient et de leur âme. Je traite techniquement du sommeil et des rêves dans mon premier livre.

Le troisième moyen, et non le moindre, est le REGARD DES AUTRES. Le regard de ces autres que nous aimons et qui nous aiment. Ces autres qui nous accompagnent pour un bout de vie, nos parents, nos enfants, nos collègues de travail, nos conjoints et conjointes, nos amours. Sans oublier ces autres essentiels — amis et amies — en qui nous croyons et avec qui nous pouvons tout partager. Leurs regards à tous sont importants et nécessaires pour arriver à nous reconnaître, à nous aimer et à nous estimer. C'est à cette notion que je faisais allusion en parlant de contagion et d'amour qui s'attrape. Je l'ai dit et je le répète, tenez-vous avec des gens d'amour et vous voudrez devenir des êtres d'amour. Cependant, une précision s'impose : l'outil de reconnaissance de soi et des autres dans nos mutuels regards ne s'appelle pas *comparaison*. J'insiste là-dessus, car c'est le piège dans lequel il nous est facile de tomber quand on commence à utiliser le regard des autres. La démarche consiste à reconnaître ce qu'ils sont et qui nous sommes, en donnant de la valeur à nos différences et en évitant à tout prix la comparaison. Nous sommes des êtres uniques et l'amour des autres nous aide à découvrir notre spécificité. Rappelez-vous, tisser son propre motif, avec ses propres fils et ses propres couleurs, c'est très loin de la comparaison.

Je ne me servirai pas de rêve dans ce chapitre pour étayer mes affirmations. Je vais plutôt vous faire part d'échanges épistolaires qui se sont faits au cours des dernières années et par lesquels *j'ai appris à accepter les « je t'aime » et à dire « je t'aime »*. Tout cela en assumant la responsabilité de ce que je suis et des mots pour le dire.

Jeudi 6 novembre 2000

Il s'est écoulé exactement six mois entre le dernier paragraphe et celui-ci. Six mois pendant lesquels j'ai apprivoisé l'amour, vécu l'amour, reçu de l'amour. Six mois pendant lesquels je suis déménagée deux fois, de Montréal à Rimouski, puis d'une maison d'été à une maison d'hiver, toujours sur le bord de la mer. Un mois de chimio, deux mois de récupération, trois mois de rémission. Six mois de délais absolument nécessaires, sinon comment aurais-je pu parler de guérison ? Il me fallait cette absolue certitude d'y être enfin arrivée. *« Un instant, Catherine ! Tu m'as laissée six mois sur mon appétit en parlant de lettres d'amour, alors... »* Oui, c'est vrai. D'accord... parlons-nous d'amour !

Lettre à ma fille Sylvie

Ma belle et très chère Sylvie,

Je suis à la maison, assise à la table de la salle à manger. J'écoute de la musique tzigane et mes oiseaux se font aller « le cri » comme c'est pas possible. Et je pense à toi qui, dans moins de 24 heures, sera sur le chemin de ta vie, en train de renaître, de devenir toi-même et de découvrir le monde.

Si tu trouves difficile cette émancipation à laquelle tu te destines, sache que plus la césure est draconienne et plus elle est faite de façon consciente, sans fuir quelque chose mais plutôt en allant vers quelque chose, plus elle sera efficace et déterminante.

Compte sur ton intelligence et sur ton bon jugement. Compte sur ta générosité et sur ton cœur gros comme la terre. Compte sur ta créativité, ton imagination et ton amour de la vie. Ces qualités sont des forces qui ne pourront jamais t'être dérobées.

Sache que la démarche de découverte de toi, des autres et du monde est LA démarche à faire. Sache que, quelle que soit la profession ou l'activité dans lesquelles tu évolueras, cette démarche est faisable partout et, surtout, là où tu te trouves. Sache qu'il n'y a jamais d'erreurs, il n'y a que des expériences. Il n'y a que des étapes à travers lesquelles on se découvre, on prend confiance en soi, on prend de la force intérieure, on s'aime et on s'estime un peu plus tous les jours.

La vie est de ton côté, fais-lui confiance et accueille les aventures, les risques et les imprévus comme des guides qui t'indiquent le chemin... N'oublie jamais les coïncidences.

Prie, parle à tes guides. Nos anges gardiens seront nos messagers l'une vers l'autre. Sache que tu n'es jamais seule et que tu ne seras jamais seule, le Divin est autour de toi et en toi.

Je me rappelle ta naissance, toi qui t'es accrochée à moi et à la vie, toi qui as tant voulu naître. Tu es arrivée dans notre vie comme une fée. Sache que partout où tu passes, tu répands la féerie, la magie, le bonheur et la sérénité. Tu es un être de lumière et ton rôle est de répandre autour de toi la lumière, la joie de vivre et l'amour. Tu es guérisseuse et enseignante, sache-le et laisse l'Univers te guider vers les chemins à prendre.

Aie du plaisir pour tous ceux qui n'en ont pas.

Aie du plaisir pour tous ceux qui ne peuvent voyager comme toi. Profites-en au maximum.

Amuse-toi, remplis-toi les yeux et le cœur. Je t'aime tendrement. J'ai de la peine que tu partes. Je vais m'ennuyer. Tu vas me manquer terriblement, mais je suis tellement fière de toi, tellement contente pour toi que ça compense amplement pour l'ennui que j'en éprouverai. Je t'aime tendrement.

Ta mère qui t'embrasse et te tient dans ses bras.

Catherine

Montréal, le 4 mars 1997

Sylvie habite l'Australie depuis le mois d'août 1999. Elle s'y est rendue après être passée par l'Angleterre et la Thaïlande. Elle repart dans quelques mois pour l'Amérique du Sud. À l'époque de cette lettre, elle quittait Montréal pour l'Ouest canadien ; elle y est restée plus d'un an, jusqu'à ce que l'annonce du cancer la ramène près de moi pour un moment.

Lettre de mon amie Chantale

Bonjour douce et belle Catherine,

Tu es un ange descendu du ciel pour nous montrer le chemin de l'amour inconditionnel, de l'ouverture, de la générosité et de l'abandon.

Tu es notre ange de guérison. Tu es une femme de cœur qui, même sans parler, fait cheminer la race humaine. Tu donnes ton temps, tu partages tes idées avec simplicité, tu traduis ouvertement ce que d'autres ressentent intérieurement. Touchante Catherine, tu es parmi nous avec ta couleur, ta joie de vivre, ton sourire, ton ironie, avec ton impatience aussi, avec tes peurs, avec tes manques...

Ton authenticité, ta sensibilité, ton besoin de vérité, ta transparence dans ton ressenti, ton enthousiasme dans la concrétisation de tes rêves sont autant de témoignages qui font que chacun se sent rassuré dans ses propres choix. Tu es donc un extraordinaire cadeau dans ma vie, dans la vie de tous ceux et de toutes celles qui te côtoient.

Je ne remercierai jamais assez Nicole de t'avoir mise sur notre route.

Je t'aime,
Chantale
Québec, le 8 février 2000

« Hum ! je trouve que tu te flattes un peu trop la bedaine ! » Justement, non. Aimer ne se fait pas à sens unique. Aimer, c'est certes donner, mais c'est aussi recevoir. N'oublions pas que l'amour de soi passe aussi par le regard des autres. Ces gens qui nous entourent sont un formidable miroir de nous-mêmes. Ça m'a pris du temps à comprendre cela et à l'accepter, mais voilà que c'est fait. Merci à tous ces miroirs qui me parlent.

Courriel à mon fils Simon

Bonjour Simon,

Je prends le temps de venir te dire un dernier bonjour. Le temps de t'écrire que je suis fière de toi. Le temps de te dire que j'ai l'impression que, comme Sylvie, tu réalises une partie de mes rêves.

Je trouve formidable que pendant que je suis occupée à me réaliser, mes enfants, en vivant eux-mêmes leur vie, font se prolonger une partie de moi-même. Merci d'être ce que tu es, car tu m'envoies un beau miroir de ce que Louis et moi avons été pour toi.

Toutes mes pensées de bonheur, de sérénité et de plénitude t'accompagnent.

Expérimente-toi dans ce que la vie t'offre à vivre au cours des semaines et des mois à venir et prends-y plaisir.

Je t'aime et je te serre dans mes bras,
Catherine
Rimouski, le 7 novembre 2000

Savez-vous ce que mon adorable *Teflon* de fils m'a répondu ? Je vous le donne en mille : « *Wow ! je suis ému. Je t'aime aussi. Simon.* » Je l'ai bien reconnu là et ça m'a fait sourire. Ce cher fils de mon cœur a quitté le Canada pour aller voguer sur de chaudes mers pendant une partie de l'hiver. Que la Source d'abondance l'accompagne.

Poème de mon amie Lise

Miroirs de ton cœur et de ton âme
Tes yeux parlent,
Tes yeux parlent, mon amie,
Miroirs de ton âme, de ton cœur, de ton être...
Dans lesquels je me reflète parfois.

J'y ai vu l'intensité de ta souffrance et de ta tristesse,
J'y ai vu l'ouverture et la conscience,
J'y ai vu la transformation et la mutation,
J'y vois maintenant un espoir et une esquisse de sourire,
J'y vois déjà l'expression de ta lumière et de ta tendresse,

J'y vois enfin la joie, l'amour, la liberté et la beauté de tout
ton être.

Et je t'aime,
Et je m'aime,
Car je me vois en toi !

Ton amie Lise
Fête de l'amour
14 février 2000

Le 14 février 2000, Pierre et Chantale ont eu la merveilleuse idée de nous réunir chez eux, tous et toutes, amis et amies récents et de toujours, pour célébrer par des *je t'aime* cette merveilleuse fête de l'amour. Nous avons été une quarantaine d'êtres humains, adultes et enfants, à nous déclarer *je t'aime*, qui par un poème, qui par une lettre, qui par des larmes, qui par des mots, qui par un silence. Première occasion pour certains, centième pour d'autres, mais des *je t'aime* tous aussi intenses les uns que les autres et croyez-moi, des *je t'aime* guérisseurs.

Lettre d'un amoureux

Une semaine, la plus longue...

Loin de toi,
Le goût de l'amour avec toi,
Ces quelques mots pour te dire bonjour
Et te dire le plaisir de t'avoir lue
Mille fois dans cette absence.
Sais-tu combien vide est cette pièce, notre pièce ?
Dans mes pensées flottantes, ton image vivante
Et chacun de nos gestes espérés
Se refont lentement, amoureusement...
Comme un pays, comme un continent
Reste la vie pour le découvrir, le chérir et y mourir.
Ma femme si belle
Tu tourbillonnes en moi
Comme le vent chaud du soir
Qui attend ces milliers de matins
Je suis partout

Ton homme

Nul n'est besoin d'écrire de date et de nom, l'amoureux, j'en suis sûre, se reconnaîtra. Seulement l'immense besoin d'ajouter que je n'ai pas su aimer cet homme qui m'offrait tant et tout. J'étais déjà partie pour le grand rendez-vous avec moi-même.

Lettre de ma fille Geneviev

Chère Catherine,
Merci pour les belles lettres, merci pour ton soutien, merci pour ton amour, merci pour ta gentillesse, merci pour ta générosité, merci pour ton indulgence, merci pour ta patience, merci pour ton aide, merci pour ton encouragement, merci pour tout, merci, merci, merci.

Merci pour ta présence continuelle, merci, merci, merci.
Merci pour la vie, merci, merci, merci.
Merci à l'avance pour tout ce qui viendra, merci, merci, merci.

Merci de la part de ta fille,
Geneviev (Geeny)

P.-S : Je t'aime malgré tout ce qui peut arriver, ne l'oublie pas, je t'aime, je t'aime, je t'aime, je t'aime, je t'aime.

Québec, 10 octobre 1983

Cette lettre fut écrite trois ans après mon départ de Québec. Elle est venue me faire revoir cette grande qualité de Geneviev qu'est la reconnaissance. J'ai eu grand plaisir à la relire. De plus en plus, les enfants venaient me rendre visite à Montréal, quand ce n'était pas moi qui allais leur faire coucou à Québec. De plus en plus, nous développions le bonheur d'être ensemble et découvrions le plaisir des mots et de l'écriture. De plus en plus, je les aimais et, de plus en plus, ils me manquaient.

Quel cadeau que tous ces mots d'amour ! Il est grand temps de remédier au silence. Mettons de côté notre timidité, notre gêne, notre orgueil même et parlons-nous d'amour, c'est la grâce que je nous souhaite... **OUI, PARLONS-NOUS D'AMOUR.**

JE VOUS DEMANDE PARDON

Novembre 2000

Je n'aurais jamais cru qu'en relisant les lettres et les billets doux que j'ai conservés, je pleurerais autant. *« Tu croyais en avoir fini avec les larmes, n'est-ce pas, Catherine ? »* Il faut croire que non puisque me revoilà à pleurer comme une Madeleine... euh ! pardon ! comme une Catherine... Madeleine, c'est ma sœur. Pourquoi est-ce que je pleure tant ? Je ne me sens pas triste, seulement toute chose. On dirait que ce sont des larmes de regrets. Je croyais pourtant en avoir aussi fini avec les regrets. Il me semble que je ne regrette rien, j'ai tellement de résultats positifs par rapport aux décisions et aux actions que j'ai prises que je ne peux avoir de regrets. *« Eh ! Oh ! attends une minute, Catherine. Tu parles d'action alors que le regret est une émotion. Qu'en est-il des émotions liées à toutes ces décisions ? Les as-tu laissées traîner quelque part ? »* Je crois bien que non, il me semble avoir abordé et traité cet aspect en thérapie. Et pourtant... Je n'ai quand même pas fait tout ce chemin pour me ramasser avec les regrets d'un passé, plus que passé ! Que m'arrive-t-il ? *« Catherine, ne t'énerve pas. Dors là-dessus et tu verras. La nuit porte conseil. »* À qui le dis-tu !

Rêve de la nuit du 10 novembre 2000

LÀ OÙ IL EST QUESTION DE GENEVIEV

Je suis dans mon ancien appartement de la rue Esplanade à Montréal, mais dans le rêve, c'est chez ma fille Geneviev. Tout est propre et blanc, sans artifice, mais aussi sans vie. On dirait un appartement inoccupé. La gardienne dit qu'elle a fait venir un esprit, celui de la dame d'en bas dont on voit la forme de la tombe sous le sable dans la cour. Dans la scène qui suit, Geneviev est morte, mais vivante. Elle est dans un grand tiroir comme ceux de la morgue, qui est à moitié sorti du mur. Elle est là et attend que ce soit le temps d'y entrer complètement. Puis vient le moment, elle y entre seule, sans qu'on l'aide et sans qu'il y ait d'émotion.

Vous vous doutez bien de ma perplexité au réveil, mais comme je quitte Rimouski très tôt pour aller rejoindre ma copine Nicole qui m'invite à une fin de semaine de dorlotements pour mon anniversaire — j'aurai 54 ans dans deux jours —, je griffonne quelques notes et je remets l'analyse de ce rêve à plus tard.

Samedi 11 novembre 2000

Je suis couchée sur la table de massage et je me laisse aller au doux son de la musique. Je songe au livre dont j'ai repris l'écriture depuis quelques semaines et je suis contente. Il ne me reste toujours plus qu'un chapitre à rédiger, celui sur la guérison. D'ailleurs, je me demande comment il se fait que ces dernières semaines n'ont servi qu'à relire et à corriger, plutôt qu'à écrire... enfin ! Puis me reviennent les images de ce rêve décrit ci-dessus. À cette pensée, je deviens tout imprégnée de

Geneviev et me revoilà en peine. La même qu'à la lecture des lettres. Il faut dire que plusieurs d'entre elles avaient été écrites par mes enfants au cours des premières années du divorce, lorsqu'ils étaient à Québec et moi à Montréal. Enfin, je chasse cette pensée, car je veux profiter du massage. Je me rends donc disponible à celui-ci. Mais rien à faire, me voilà de nouveau en plein drame.

« *Ah! Catherine, trop facile la fuite, tu as déjà essayé ce truc et tu vois où ça t'a menée. Non, non, les choses se présentent ici et maintenant, c'est ici et maintenant que tu dois les régler.* » D'accord, j'ai compris. Peut-être suis-je d'ailleurs ici dans cette absolue tranquillité pour aborder cette émotion ? Peut-être est-ce là l'effet de la synchronicité ? Vous savez ? La bonne place, au bon moment, etc. Allons-y pour les larmes et les regrets. Un, deux, trois, je plonge, je n'ai pas le goût, mais je plonge quand même.

C'est dans cette plongée que j'ai un *flash,* une vision. Je vois que je ne me suis pas encore mise à la rédaction du dernier chapitre parce qu'un autre doit le précéder. J'ai l'intuition que ce chapitre doit porter sur le pardon. Et de façon fulgurante, je fais la prise de conscience que, si j'ai pardonné aux autres, je ne me suis pas encore pardonné à moi-même. Je ne me pardonne pas d'avoir créé des chambardements, des conséquences, des traumatismes et des peines à cause des décisions que j'ai prises. Je ne me pardonne pas certains comportements. Je fais aussi la prise de conscience que je ne me pardonne pas de ne pas avoir compris plus tôt tout ce que je sais aujourd'hui. Plus j'y pense, plus je trouve que le pardon est le maillon qui manquait.

Plus je le partage avec Nicole, plus je comprends que mes larmes de regrets me mènent droit sur la piste du pardon à moi-même. Plus j'y pense, plus je sais que je n'arriverai à me pardonner que si je demande d'abord pardon, évidemment quand cette émotion et la situation concernent d'autres personnes. Plus j'y pense, plus je sais que je n'arriverai à m'aimer inconditionnellement et totalement que si je suis d'abord passée par le pardon. Plus j'y pense, plus je sais que je viens de trouver là un gros morceau qu'il me faudra résoudre avant quoi que ce soit d'autre. Encore du ménage à faire. « *Oui, Catherine, encore du ménage à faire... Et puis ?* » Je vais le faire, ce ménage, je ne lâcherai pas si près du but. J'irai jusqu'au bout. Je vous l'ai déjà dit, pas question de vivre ma deuxième vie comme la première. « *Prends ça relaxe, ma Catherine. Il n'est pas nécessaire de te donner un si gros contrat, juste avant Noël. Songe aux fêtes que tu te prépares ainsi.* » Justement, peut-être est-ce le moment rêvé pour passer aux actes. « *Tiens, tiens, parlant de rêve, tu en as laissé un en plan. Il y a peut-être là une solution, qu'en penses-tu ?* » Hum ! oui, peut-être.

Le contexte de l'appartement de la rue Esplanade me ramène à cette époque où ma vie affective était en dents de scie. En effet, les enfants vivant à Québec avec leur père et ne me rendant visite qu'aux deux semaines, je me retrouvais dans l'enthousiasme à l'approche de leur arrivée ; à leur départ, j'étais habitée d'un tel sentiment de culpabilité que je passais les jours suivants à tenter de rationaliser cette émotion, sinon à l'enfouir carrément pour arriver à survivre à la peine et au désespoir. Or donc, cet appartement est tout blanc, sans artifice, sans vie et semblant inoccupé. Comment aurait-il pu en être autrement ? L'image de l'appartement du rêve reflète bien la réalité énoncée ci-dessus. Je ne laissais rien paraître au dehors de ce que je vivais intérieurement. Impossible alors d'être vraiment vivante. De plus, l'appartement, qui appartenait à ma fille dans le rêve, me ramène à l'émotion même de Geneviev qui, déjà à cette époque, commençait à donner des signes de colère voire de rage de toute cette situation qu'elle prenait beaucoup sur ses épaules. Une responsabilité trop grosse pour elle, en partie celle de la maison, celle de sa sœur et de son frère ; en somme, elle fut une mère pour tous. C'est bien le contexte du rêve, mon rôle et mes responsabilités dont elle s'est fait la gardienne. Cette gardienne qui, justement, fait venir l'esprit de la dame d'en bas, dont on voit le cercueil à travers le sable de la cour... « *Gros morceau, ma Catherine !* » Hum ! sans commentaire... Ou plutôt si, des commentaires. Toute cette image traduit bien que doivent aujourd'hui ressortir les dernières émotions enfouies ; tant qu'elles ne seront pas traitées, elles garderont, comme dans « gardienne », une partie de moi-même sans vie. En plus, vous connaissez l'expression « pas dans ma cour », la voilà bien illustrée. Puisque cette scène se passe dans ma cour, je suis maintenant obligée de m'en occuper. Vous connaissez aussi l'expression « se mettre la tête dans le sable », la voilà bien illustrée, elle aussi. Il est grand temps que je me sorte la tête du sable et que je regarde la vérité en face. Je déduis qu'il est question de regrets et de pardon, puisque ce sont ces émotions qui occupent ma réalité consciente.

Quant à la deuxième partie du rêve, elle me renvoie à la Geneviev d'aujourd'hui, à moitié engagée dans la vie, comme dans le tiroir à moitié sorti du mur. Elle me renvoie à celle qui, après avoir rangé ses émotions et sa vie dans un tiroir pour soutenir (le mur en est le symbole) la maisonnée, tente aujourd'hui de soutenir sa propre vie de famille avec le peu de moyens qu'il lui reste, car ceux-ci ont été épuisés dès l'enfance. C'est la Geneviev d'aujourd'hui, mais c'est aussi le miroir de la Catherine d'hier, qui, elle aussi, a pris très jeune le rôle de mère dans la maison de sa mère et s'est retrouvée, jeune mariée, dans le même contexte que la Geneviev d'aujourd'hui.

« *Alors, belle avenue pour aborder la question du pardon, ne trouves-tu pas ?* » Tout est là, en effet. Je comprends pourquoi j'ai fait ce rêve à ce moment précis. D'ailleurs, la lecture des lettres, entre autres une de Geneviev, avait très bien ouvert la voie. « *Tu devrais nous la faire lire, Catherine, ça nous aiderait à mieux comprendre.* » Je trouve cela pas mal indécent, surtout pour Geneviev. Quant à moi, je n'ai pas grand-chose à perdre, votre opinion est sûrement déjà faite à mon sujet. « *Demande à Geneviev alors.* » Je le lui ai demandé, elle m'a autorisée à l'utiliser. La voici donc.

Lettre de ma fille Geneviev

Chère maman,

Je vais te raconter comment la vie se passe ici. Papa crie moins depuis quelque temps et il est plus en forme. Simon n'a plus la grippe, il sort dehors et il se sent très bien. Sylvie est beaucoup plus calme depuis que Louis la fait sortir dehors pieds nus. Il dit que ça lui refroidit les idées. Moi, je vais bien comme tout le temps. Je ne pleure pas. Je pense à toi et je me dis que si tu étais ici, tu serais moins heureuse. Je vais te raconter des poèmes du livre Petits bonheurs et lis-les quand tu penseras à moi.

C'est dur de se dire adieu.
Je t'aime.
Geneviev

P.-S : J'aurais aimé que tu me prennes dans tes bras quand je suis partie l'autre jour.

31 janvier 1981

Ça y est, je pleure encore. Geneviev avait 10 ans quand elle a écrit cette lettre. Évidemment, je me suis permis de la transcrire sans les fautes d'orthographe, en remaniant la ponctuation et en éliminant les poèmes, mais tout le reste y est. Vous comprenez, j'en suis sûre, les émotions qui remontent. Je ne me sens plus coupable, mais j'ai des regrets quant aux séquelles qu'elle a subies, je devrais dire qu'ils ont subies tous les trois. Je dois demander pardon, pour cela et pour bien d'autres événements encore. Je dois me pardonner, pour cela et pour bien d'autres événements encore. Ma rémission et ma guérison ne seront totales que quand j'aurai fait le tour de ce jardin des regrets, comme dans la cour du rêve ; que quand j'aurai rappelé d'entre les morts cette femme sans vie qui se cache la tête dans le sable ; que quand j'aurai ramené à la conscience de Geneviev ce poids qu'elle a si difficilement porté ; cela lui permettra de sortir de ce carcan de tiroir dans lequel elle vit encore présentement. J'entends d'ici quelques personnes me donner les arguments dont je me suis longtemps servi pour rationaliser la situation, pour annuler le mal et pour arriver à survivre. Des arguments du style : « Oui, mais, quelles autres séquelles, plus graves encore, tes enfants auraient-ils eues si tu n'avais pas divorcé ? », « Personne n'a demandé à Geneviev de prendre les choses sur ses épaules, c'était sans doute dans sa nature de le faire », « Tu as fait la même chose au même âge et tu t'en es sortie. Donc Geneviev s'en sortira ». Je pourrais aussi me réconforter en disant que Louis et moi avons très bien agi dans ces circonstances. Nous n'avons pas pris les enfants en otage, nous avons tenté de conserver intact l'esprit de famille, nous sommes restés solidaires dans notre façon de les éduquer, et quoi encore... Mais là n'est pas la question. La question en est une de réalité émotive et personnelle de part et d'autre. La question n'est pas de tenter de changer cette réalité pour une autre qui ferait plus mon affaire. La question est de libérer toutes ces désagréables réalités une fois pour toutes. La question est de repartir sur des bases solides pour éviter tout désespoir futur. Faites l'exercice et regardez dans votre propre jardin. Vous y trouverez sans doute, vous aussi, des regrets d'hier et d'aujourd'hui par rapport à des réalités émotives au profit desquelles vous souhaiteriez substituer de convenables et réconfortantes réalités intellectuelles. Mais là n'est pas la question. La question est de regarder la réalité en face et d'affronter la vérité.

L'heure du pardon est arrivée et me voilà face à cette difficile étape à franchir. Comment m'y prendre ? Comment y arriver ? Par où commencer ? Une chose est sûre : le pardon que je veux m'accorder passe, dans beaucoup de situations, par le pardon que je veux que l'on m'accorde. Ce n'est donc pas une démarche en solitaire. *« Catherine, la voie épistolaire t'a bien réussi jusqu'ici, pourquoi ne l'utilises-tu pas encore une fois ? »* Tu as raison, d'ailleurs, j'avais inconsciemment commencé cette étape l'automne dernier, justement par une lettre à Geneviev que je partage avec vous, puisque l'on est si bien partis.

Lettre à ma fille Geneviev

Par un jour pluvieux d'automne,
Ma chère et tendre fille,

Je commence cette lettre les larmes aux yeux et la peine dans le cœur. Dans ce cœur, il y a une telle somme d'amour envers toi... Toi qui es mère maintenant, tu sais à quel point cet amour se multiplie au fur et à mesure que les êtres chers s'ajoutent.

Je me rappelle le jour où tu as été conçue, dans l'amour, en camping sur le bord de l'océan. Je me souviens même de la date, le 10 août exactement... curieusement jour de naissance de ton fils Xavier. Nous étions, au fur et à mesure des mois, tout à la joie de ta venue. Une belle attente que celle de ta naissance. Un beau moment que celui où tu fus dans mes bras la première fois, mais aussi une grande crainte face à une telle responsabilité. Tous les matins, ton père et moi te mettions au centre du lit, nous te regardions et t'aimions en te projetant dans l'avenir, dans un ailleurs que nous te souhaitions heureux.

À cette époque, j'avais déjà peine à penser à ce jour du détachement. Toi qui as maintenant des enfants, imagine à quel point il fut douloureux toutes les fois où j'ai dû le faire pour toutes les raisons que tu connais. Ma peine n'en est pas moins grande aujourd'hui, elle n'est que plus consciente de l'impact de ma décision sur la couleur de notre bonheur à chacune. Ta peine et ton sentiment d'abandon me mettent le cœur en bandoulière. Je sais que tu comprends avec ta tête pour l'instant. Je souhaite que ce soit bientôt avec ton cœur. Je dois aller vers cette vie nouvelle, je dirais même que je dois créer cette vie nouvelle. Je n'ai pas vécu ces deux dernières années pour ensuite reproduire les mêmes choses et les mêmes événements.

Cet éloignement provoque, je m'en rends compte aujourd'hui, un nécessaire détachement... Je te demande pardon pour la dépendance que je t'ai créée, que je t'ai enseignée. Ce fut inconsciemment fait dans l'amour. Je te demande pardon pour toutes les fois où je suis partie et où je t'ai fait vivre ce sentiment d'abandon. Qui sait ce que l'avenir me réserve ? Cet avenir incertain me fait choisir le présent et me suggère ardemment de faire en sorte qu'il soit beau.

Les temps sont durs pour toi : un jeune bébé, un autre en bas âge, un mois de novembre gris, des horaires chamboulés, une perspective de retour au travail, des difficultés matérielles, un peu de post-partum dans l'air et mon départ pour couronner le tout. Si je pouvais tout prendre sur moi, je le ferais à l'instant. Comme je ne le peux, j'ai confiance que tu feras face à la musique. On a toujours le choix de faire de sa vie un enfer ou un paradis. Je viens de te décrire à l'instant l'enfer, mais je pourrais tout autant te décrire le paradis. La naissance d'une magnifique fille qui rit tous les jours à gorge déployée, un fils qui crie « Maman ! » avec un tel amour ! éveillés, intelligents et en santé, ces deux poupons ; un mari qui t'aime par-dessus tout ; un travail que tu aimes à venir, un travail qui te permettra de sortir d'un cercle fermé qui est peut-être en train de te restreindre ; un quotidien qui t'offre régulièrement l'occasion de t'ouvrir le cœur et de te découvrir belle et forte en dedans, malgré la grande peur de vivre qui t'habite.

Je crois que le bonheur, c'est de réussir au bout de l'émotion vécue, verbalisée et conscientisée, à prendre du recul et à voir en chaque événement un exemple parfait de la vie en mouvement qui nous offre l'occasion de cheminer à travers elle.

Je suis toute à ta peine et j'ose espérer que tu seras bientôt toute à ma joie et même que tu pourras venir la partager et la vivre un moment avec moi.

Je t'aime,
Catherine
Montréal, le 26 novembre 1999

J'avais, quelques jours plus tôt, fait part à Geneviev de ma décision de déménager à Rimouski. Elle l'a pris durement, me disant que je ne devais pas compter sur elle pour y venir ; avec deux bébés, ce serait trop loin et trop difficile. J'ai compris le message qu'elle m'envoyait. C'est pourquoi je lui ai écrit cette lettre. Et puis, les mois ont passé et Geneviev est venue me rendre visite avec les petits. Nous avons passé une merveilleuse semaine que je voudrais voir se répéter souvent.

Maintenant, le gros du travail reste à faire. « *Tu n'as jamais si bien dit, pour autant que le règlement ne concerne que toi, ça peut toujours se faire assez facilement ; mais quand d'autres personnes seront en cause, ce sera une tout autre affaire. Ça va mettre ton orgueil à rude épreuve, en es-tu consciente, Catherine ?* » Oh ! que si ! j'en suis consciente. C'est sans doute pour cela que je me suis caché la tête dans le sable tout ce temps. J'ai étiré l'élastique au maximum, mais maintenant, il faut que je le lâche... sinon ça va péter. Je sais que ça va faire mal de toute façon, mais si j'agis au nom de l'amour de moi et de ces autres concernés, la souffrance ne durera que quelques minutes. Comme je l'ai expliqué au chapitre précédent, si je mets de l'amour dans mon cœur, cette ouverture me facilitera les choses, je le sais, je le sens déjà. Alors que si, au nom de l'orgueil, je reste dans la fermeture qui m'a gardée longtemps inconsciente, j'ai bien peur que ça fasse beaucoup plus mal et, surtout, que ça dure plus longtemps. Or donc, que dois-je faire ? Répertorier les événements et les circonstances pour lesquels je ne me pardonne pas et tenter de communiquer, d'une façon ou d'une autre, ma demande de pardon aux personnes concernées quand il y en a ? Je sais que cette démarche peut être longue. Je me fais cependant confiance. Je vais prendre le temps de bien faire les choses et, surtout, je suis sûre que mon âme continuera à me donner des pistes par les rêves et que l'Univers créera les synchronicités pour que je puisse passer à l'action. Je peux d'ores et déjà affirmer que même si je n'en suis aujourd'hui qu'aux bonnes intentions, je me sens déjà plus légère et, ma foi, plus libre d'être moi-même, seulement moi-même, toujours moi-même, encore et encore.

Quant à la façon de faire, l'écriture me sied bien et je crois que je vais passer par cette voie, d'autant plus que j'en ai rêvé. Je vous jure que ce n'est pas arrangé avec le gars des vues. J'ai vraiment fait ce rêve quelques jours plus tard.

Rêve de la nuit du 19 novembre 2000

PASSER PAR L'ÉCRITURE

Je suis sur une plage dans le Sud avec ma sœur Madeleine. Cette plage donne sur la maison de ma grand-mère, c'est une maison que je ne connais pas. Dans cette maison, il y a ma tante Marie, ma marraine aujourd'hui décédée. Je suis consciente que plusieurs membres de la famille sont là, mais la seule que je vois vraiment est cette tante Marie. Sur le sable, ma sœur et moi sommes à lire un journal de France dont le nom est *Libération*. On se retourne et on voit des bestioles qui entrent dans la maison. Alors, je prends le journal et je le plie pour que les bestioles se glissent dans le pli. Une fois cela fait, je retourne sur la plage où je libère toutes ces petites bestioles dans l'eau.

« *Oh là là ! Tu ne t'es pas manquée, ma Catherine !* » Que non ! Je ne me suis pas manquée. Merci, mon âme, d'être si éloquente et si claire avec moi. Hum ! bon, l'analyse maintenant ? Une petite précision avant de commencer celle-ci. Il ne faut pas oublier qu'un rêve s'applique toujours à un contexte de vie donné. Au moment de ce rêve, le contexte de ma vie était totalement habité par le pardon, il est donc normal que j'y fasse référence pour l'analyser. Donc, quand il est question de Sud ou de pays chauds ou de voyages exotiques dans les rêves, ça fait souvent allusion à des situations ou à des moments de nos vies qui nous sont étrangers. C'est le cas ici. En effet, me pardonner ou demander pardon n'était pas une pratique courante chez moi. La maison qui m'est inconnue symbolise la partie de moi concernant la pratique du pardon qui m'était restée inconnue jusqu'alors. Le rêve me dit aussi (à cause de la maison de ma grand-mère) de remonter loin dans mon enfance pour répertorier les situations et les circonstances recherchées. Le journal est un moyen de communication par l'écrit, rapide, succinct et efficace, qui s'adresse à tout le monde en même temps. Le rêve me suggère donc d'utiliser l'écriture et de trouver une façon de rejoindre le plus de monde possible en même temps par ce moyen. Ce moyen m'était étranger alors (symbolisé par un journal de France), mais tout de même facile d'accès (il s'agit de la même langue). Une chose est sûre : il me libérera (symbolisé par le titre) et il purifiera mes sentiments (en raison de l'eau). Mettre toutes mes bestioles dans le journal et les empêcher d'entrer dans la maison, en les amenant dans l'eau, est la chose à faire. L'eau, dans les rêves, fait souvent allusion aux émotions, mais aussi à la purification.

Quant aux personnes impliquées dans le rêve, il est sûr qu'une très grosse partie de mes recherches concernent ma famille. La présence de ma tante Marie me ramène aux dernières années de sa vie au cours desquelles j'aurais voulu être plus présente. Cette présence me ramène aussi aux gestes que je n'ai pas faits et aux paroles que je n'ai pas dites. Je me suis longtemps abritée derrière son insupportable humeur des dernières années pour me donner bonne conscience des gestes non accomplis. Il est maintenant temps de purifier cela. Le fait qu'elle soit morte ne me gêne guère, car je sais que le lien n'est jamais rompu. Le rêve me dit de commencer par là, car c'est le seul personnage que je vois. Quant à ma sœur Madeleine, le rêve la met en scène tout simplement parce qu'elle vit, je crois, les mêmes sentiments que moi par rapport à notre tante Marie.

C'est bien parti. C'est par là que je vais commencer, et dès maintenant. Tante Marie, je te demande pardon de ne pas avoir perçu ton désarroi derrière ton humeur difficile. Je te demande pardon de ne pas avoir vu et senti ton ennui, ta solitude et ta souffrance derrière ton exigence. Je te demande pardon de ne pas avoir compris l'ouverture du cœur avant aujourd'hui, car ainsi j'aurais pu être, sinon toujours à tes côtés, du moins à ton écoute. Pour cela, je me pardonne.

Mon Dieu ! je viens de prendre conscience de quelque chose ! Est-ce que le moyen de communication dont le rêve me parlait ne serait pas le livre, ce livre ? Ayoye ! Vais-je être obligée de faire une confession publique ? « *On dirait bien ! Y a-t-il quelque chose de plus public qu'un journal ou qu'un livre ?* » Je crois que ça mérite réflexion. Je vais dormir là-dessus. Non parce que j'attends un rêve, car j'ai ma réponse, mais tout simplement parce que je veux me donner le temps de digérer cela. « *Bonne nuit, Catherine.* »

***

Et allez hop ! ça continue ! Je me lève et me voilà avec encore deux rêves à vous raconter. Ils concernent justement la question avec laquelle je me suis endormie hier. Vous allez voir comme c'est intéressant. « *Catherine, on dirait que tu te reprends de ne pas avoir cité de rêves dans le chapitre précédent ?* » Ce n'est pas ma faute, c'est à mon inconscient qu'il faut dire cela. Il est intarissable... mais ça me plaît bien ainsi, car il me parle tellement clairement que c'en est ahurissant.

Rêves de la nuit du 27 novembre 2000

UNE AUTRE FAÇON D'ÉVACUER

J'assiste à un spectacle de cirque où il y a des clowns. L'amuseur principal est Patrice L'Écuyer. Je suis spectatrice, mais je suis sur la scène au moment où se déroule le show. Patrice L'Écuyer se présente avec une tablette autour du cou ; elle est installée comme une bavette. Son rôle est de vomir toutes sortes d'objets hétéroclites, qui sortent tous les uns à la suite des autres sans arrêt. On se demande d'où viennent tous ces objets. On constate à un moment donné qu'ils sont contenus dans un cylindre accroché après lui. Ce cylindre est proportionné à sa taille et s'étend derrière lui comme s'il avait un corps de mille-pattes. Plus il vomit, plus le cylindre diminue, cela jusqu'à disparaître complètement.

Demeurons dans le contexte de la question. Comment demander pardon et comment me pardonner ? L'autre rêve me suggérait de le faire par écrit à tous en même temps, pour me purifier. Cette fois-ci, le rêve suggère que je pourrais aussi le faire de vive voix, mais toujours à tout le monde en même temps (la scène de théâtre en est le symbole). Il suggère aussi que je pourrais utiliser l'humour pour le faire (la présence des clowns en fait foi). Le lien avec le cirque se fait avec le nom même de l'animateur L'Écuyer. En effet, il y a beaucoup de cirques où les écuyers sont à l'honneur. De plus, Patrice L'Écuyer, que l'on connaît comme une personne qui privilégie l'humour dans la vie, fait le lien avec la partie de moi qui peut à l'occasion avoir de l'humour et le costume qu'il porte me suggère de ne pas trop me prendre au sérieux dans toute cette histoire. Le rêve va plus loin, il me fait voir que cette façon de faire me libérera, car je cesserai de traîner derrière moi un énorme bagage maintenant inutile. Nous revenons donc à la case départ. C'est à moi de décider comment demander pardon : par l'écrit ou par la parole ? dans le sérieux ou dans l'humour ? Je comprends cependant une chose importante : il n'est pas nécessaire de faire de multiples démarches individuelles pour cela. Voyons maintenant le second rêve.

LE PARDON À MOI-MÊME

Je suis chez Bernard Derome. Nous nous habillons, car nous nous apprêtons à aller assister à une messe. Lui est vêtu à la Sherlock Holmes et il a l'air d'un bouffon ; quant à moi, je suis en vêtements de ville. Ma mère est là et je sens qu'elle porte un jugement sur la façon dont Bernard Derome est habillé. Dans la scène qui suit, nous sommes à la messe. Celle-ci est en plein air devant la ville de Jérusalem et le Mur des Lamentations. Je vois une jeune fille qui a quatre chicots à la place de ses quatre dents avant. Elle explique que le dentiste, qui est assis à côté de moi, va lui installer de nouvelles dents. Ce dentiste a une belle bouille de bon vivant ; il est joyeux et détendu.

Cette fois-ci, il est question du pardon à moi-même. Le rêve fait allusion à une démarche intérieure (symbolisée par la messe, Jérusalem et le Mur des Lamentations). Bernard Derome, connu comme un personnage sérieux, peut-être même un peu conservateur, me met en lien avec le côté trop facilement sérieux de ma propre personnalité. Quant à son nom (Derome), il suggère aussi l'image de Rome, le lieu rassembleur de la religion catholique. La présence de ma mère, la messe, Rome, Jérusalem et le Mur des Lamentations me ramènent aux valeurs judéo-chrétiennes de pardon qui m'ont été enseignées. Le jugement de ma mère que je sens dans le rêve me fait prendre conscience de l'adaptation et de l'actualisation que je dois faire en ce qui concerne ma conception du pardon. L'habillement loufoque de Bernard Derome en Sherlock Holmes me suggère de rechercher la meilleure façon de me pardonner, mais pas nécessairement d'en faire un plat, de tout scruter à la loupe et, encore là, de ne pas trop me prendre au sérieux. Une chose est certaine : je retrouverai ma joie de vivre au bout de cette démarche (la petite fille, qui récupérera son beau sourire après l'intervention du dentiste, en est le symbole). Comme le dentiste est assis tout près de moi, le rêve me confirme qu'il est à ma portée de passer à l'action rapidement. La présence de tous ces hommes me le suggère fortement en me référant au côté yang, donc masculin et actif, de ma personnalité. Ce dentiste à l'air jovial m'indique la voie à prendre : « Ne te tape pas dessus comme les vieilles valeurs te l'auraient suggéré. Ne t'en fais pas payer le prix par des lamentations et des larmes ni par un long voyage d'expiation au bout du monde. Fais tout simplement l'intervention qu'il faut faire, maintenant. »

Maintenant, ça veut dire maintenant, n'est-ce-pas ? Comme je suis en train d'écrire un livre et non pas de monter un *show*, mieux vaut choisir l'écrit, c'est plus à ma portée, comme dans le rêve. Alors je choisis l'écrit, ici et maintenant... et dans l'humour. Souhaitons-le ! Allons-y. Oups ! Heu...

« *Allez, ouvre ton cœur, Catherine. Pense à toutes ces personnes que tu aimes tant et qui ont écopé dans leur propre vie des conséquences de tes décisions.* » Oui, à vous toutes, je demande pardon pour la peine et la souffrance que je vous ai causées. Je pense particulièrement à mes enfants, à Louis, à mes parents et à mes beaux-parents, qui ont vu leurs univers personnels démolis par mes décisions. Pour cela, je me pardonne. Ouf !

« *Ce n'est pas terminé. Pense aussi à toutes ces personnes que tu ne portais pas nécessairement dans ton cœur et qui ont écopé, elles aussi, des conséquences de ton manque de respect, car il fut un temps où tu avais le jugement facile et la parole acerbe, ma Catherine. Reconnais-le.* » Oui, je le reconnais. À toutes ces personnes, pour le tort que j'ai pu leur causer en pensées, en paroles ou en actes, je demande pardon. Pour cela, je me pardonne.

Ce n'est pas encore terminé, hein ? « *En effet, ce n'est pas terminé. Pense à toutes les personnes qui n'ont pas reçu ton aide chaque fois que tu as choisi de te mettre la tête dans le sable.* » Je n'avais pas pensé à cela. Je demande pardon à toutes ces personnes qui auraient pu bénéficier de mon engagement auprès d'elles ou de leur cause. Pour cela, je me pardonne.

Là, c'est fini ? « *Non, pas encore. Pense aussi à toutes les occasions où tu t'es servie du chantage émotif ou de la manipulation pour arriver à tes fins.* » Je commence à être un peu gênée. « *Ouvre ton cœur, c'est la seule façon de faire.* » Merci de me le rappeler. Chassez le naturel, il revient au galop, n'est-ce-pas ? « *N'essaie pas de noyer le poisson.* » Hum ! À toutes les personnes qui furent victimes de mes manipulations, je demande pardon. Pour cela, je me pardonne.

Je n'ose plus penser que c'est terminé... « *Tu as bien raison. Pense aussi à tout le tort que tu as causé à la terre, toutes les fois où tu n'as pas, comme il se doit, respecté l'environnement.* »

Là, tu me surprends. Faut que je demande pardon pour ça aussi ? *« Oui, n'oublie pas que tu es liée à la terre, au ciel, à la nature, à l'Univers entier, quoi ! Rappelle-toi, tu en as parlé dans tes chapitres sur le plaisir et la spiritualité.* C'est vrai. Je demande pardon à la terre de ne pas avoir eu la conscience de son inestimable existence et de son essentielle interaction avec l'être humain que je suis. Pour cela, je me pardonne. Merci mon âme de cette belle inspiration. Merci de...

« Tu oublies autre chose. » C'est vrai ? Je n'arrive pas à imaginer. *« Pense aux regrets que tu as de ne pas avoir compris plus vite tout ce qui se révèle à ta conscience maintenant. »* Oh là là ! je l'avais vraiment oubliée, celle-là. Je me pardonne d'avoir longtemps fui le travail d'intériorisation nécessaire à toutes les prises de conscience que je fais en bloc depuis les deux dernières années. Pour cela, je me pardonne.

Une autre demande me vient à l'instant. *« Laquelle ? »* Je te demande pardon, mon âme, d'avoir été trop longtemps sourde à tes appels et à tes cris. *« Je te pardonne. »* Merci. Pour cela, je me pardonne. Me voilà encore en larmes. Je suis émue et pleine de reconnaissance. Merci de...

« Il en reste une dernière et non la moindre. Pense un peu ? » Je ne sais pas. *« Je te donne un indice. Pense à ce que tu as vécu ces dernières années, pense à ce dont tu viens de sortir. Pense à... »* N'en dis pas plus, j'ai compris. Je me demande pardon de m'être infligé la maladie, de m'être fait la vie si dure et d'avoir cru que je ne méritais que la souffrance. Pour cela, je me pardonne. Merci mon âme de me permettre ainsi de me libérer, de me purifier et de retrouver mon sourire.

« Catherine, puis-je te faire une petite suggestion ? » Certainement. *« Fais-en donc une prière pour quelque temps. Cette répétition te permettra de réellement intégrer tous ces pardons et en amplifiera les résultats, je t'assure. »* Je le ferai avec grand plaisir. Merci à vous d'être resté attentif à la lecture de mes repentirs et de m'avoir permis de les partager. Pour cela... **JE VOUS DEMANDE PARDON !**

PLUS QUE JAMAIS VIVANTE

Décembre 2000

Au moment où j'écris ces lignes, nous sommes aux portes de l'an 2001. À ce qu'on dit, c'est vraiment maintenant que nous entrons dans le xxie siècle et dans le iiie millénaire. Je suis heureuse de faire partie de cette nouvelle donne mondiale, en santé et réénergisée. Me voilà trois ans plus tard, presque jour pour jour, arrivée au bout du tunnel.

Me voilà en train de fermer cette immense boucle, qui m'a fait faire plus d'un tour sur moi-même et bien des virages à 180 degrés.

Me voilà en rémission pour certains... guérie quant à moi.

Me voilà remise au monde et réinventée.

Me voilà de plain-pied dans ma deuxième vie.

Me voilà face à de nouveaux rêves.

Me voilà unique et différente.

Me voilà plus que jamais VIVANTE.

Comment se fait-il que je me ressemble tant et qu'à la fois, je sois si différente ? Me croirez-vous si je vous dis que je suis renouvelée *cellulairement* ? Comment le sais-je ?

Parce que je le sens. Comment est-ce que je le sens ? Parce que, tout en étant toujours une artiste et une communicatrice, je ne vis plus de la même manière et je ne dis plus les mêmes choses. Parce que je n'ai plus les mêmes désirs ni les mêmes besoins. Parce que je n'ai plus le même environnement ni le même travail. Parce que je n'ai plus d'attente, mais beaucoup de projets. Parce que je suis au dedans comme au dehors. Parce que j'ai des petits bonheurs à la tonne. Parce que j'ai le goût de vivre. Parce que j'aime la vie. Parce que je m'aime !

Au bout de cette grande expérience de reconstruction sur de nouvelles bases, au bout de cette longue période d'observation, de questionnement et de réflexion, au bout de ce merveilleux pèlerinage... « *Toi qui voulais tant faire le pèlerinage de Saint-Jacques-de-Compostelle, Catherine ! Tu disais le souhaiter pour le temps de réflexion et de silence qu'il pourrait te procurer. Je crois bien que tu l'as fait, ce pèlerinage tant rêvé, mais d'une tout autre façon, n'est-ce pas ?* » Il est vrai que j'en ai longtemps rêvé ! Aujourd'hui, cependant, je crois que nos vieux rêves doivent s'actualiser, dans le sens de se transformer, s'adapter à nos buts et notre réalité présente. Cet exercice nous amène même à constater parfois que nos vieux rêves n'ont plus leurs raisons d'être. À preuve, je n'ai plus du tout ce désir du chemin de Compostelle. Tu as raison, je l'ai fait mon pèlerinage. Enfin, au bout de ce voyage, je peux dire que je saisis de plus en plus la portée de cette pensée des grands philosophes et métaphysiciens qui affirment, depuis la nuit des temps, que... TOUT CE QUI EST EN HAUT EST COMME TOUT CE QUI EST EN BAS et TOUT CE QUI EST À L'EXTÉRIEUR EST COMME TOUT CE QUI EST À L'INTÉRIEUR... Et parce que j'en saisis de plus en plus la portée, j'ose dire que :

- je suis interdépendante avec tout ce qui existe dans l'Univers ;
- je suis Une dans le Tout ;
- le Tout fait partie de moi ;

- je suis un microcosme ;

- je suis le microcosme du macrocosme ;

- mon fonctionnement est à l'image de celui de la planète ;

- le fonctionnement de la planète est à mon image.

« Bon ! ça y est, te voilà repartie. Tu nous perds avec cette réflexion, Catherine. Peux-tu énoncer les choses plus clairement ? » Certainement, je vais vous raconter une prise de conscience que j'ai faite à la fin de cet été et qui est à l'origine de ma compréhension de ce concept avec lequel je me sens de plus en plus à l'aise.

Septembre 2000

Je viens d'apprendre que je suis en rémission. Bien sûr, il me reste bien des étapes à franchir pour que l'on puisse affirmer, hors de tout doute, que la rémission est bel et bien là pour rester. Mais je n'en suis pas moins euphorique à l'annonce de cette nouvelle.

JE SUIS GUÉRIE... me dis-je sans cesse. À propos de tout et de rien, je me mets à penser, à projeter, à décider, à créer, à rêver comme toute personne normale peut le faire. Je ressens, je vois et j'entends la vie différemment... JE SUIS GUÉRIE !

« Catherine, pourquoi dis-tu "guérie" ? Il me semble que ce cancer est incurable ? » En effet, il est incurable au sens où, selon la médecine, il laisse un potentiel de maladie en latence dans chacun de mes ganglions. Il n'en tient qu'à moi de faire en sorte que mon corps emploie un autre langage pour me parler. Il n'en tient qu'à moi de ne pas attendre la maladie pour entendre et comprendre les signaux qu'il m'enverra. Mais, pour l'heure, j'ai décidé que cette rémission serait éternelle, que je vivrais jusqu'à 100 ans et, qui plus est, que je mourrais de vieillesse et dans mon sommeil par surcroît, donc... JE SUIS GUÉRIE !

Pendant que je suis toute à la nouvelle de ma guérison...

La Gaspésie crie haut et fort que nos forêts sont en danger, qu'elles sont ni plus ni moins menacées d'extinction par les coupes à blanc. Le film de Richard Desjardins, *L'erreur boréale*, me revient en mémoire. Je revois cette dévastation de la forêt québécoise et je me sens concernée. Que va-t-il arriver à cette nature que j'apprécie tant ? Les premiers arbres transgéniques, des superépinettes semble-t-il, seront bientôt transplantés dans nos forêts naturelles. Erreur ? Horreur ? L'avenir le dira. Mais est-ce que j'ai le goût de cet avenir-là ?

Pendant que je suis toute à cette nouvelle...

L'article de la revue *Québec SCIENCE* sur les mutations chez les grenouilles me surprend. Je suis bouleversée d'apprendre qu'il existe, dans nos étangs, des batraciens à trois pattes ou à deux queues. Nos cours d'eau dont la qualité se dégrade de plus en plus, en raison d'incessants déversements d'engrais chimiques, vont-ils désormais abriter des monstres ? Le documentaire sur le saumon de l'Atlantique m'interroge. Son incapacité à remonter sa rivière natale pour venir y frayer et s'y reproduire me choque. Comment se fait-il qu'en cultivant, l'homme ne veuille pas prendre conscience qu'il empoisonne la terre même qui le nourrit ?

Pendant que je suis toute à cette nouvelle...

Je sais que le sous-sol de Mexico est très déséquilibré et même menacé par une occupation souterraine abusive. On dit que plus de 50 % de sa superficie souterraine est maintenant constituée de béton. Mexico va-t-elle s'effondrer comme un château de cartes ? Je sais que la crise du pétrole, en prenant le monde entier en otage, menace l'équilibre économique mondial. Mais quand donc les grands financiers de l'or noir vont-ils cesser de barrer la route à la mise en marché de la voiture électrique ? Je sais aussi que des milliers de bénévoles sont encore à nettoyer les côtes françaises de la marée noire qui les a envahis il y a déjà quelques mois et je voudrais réagir. Comment puis-je réagir ?

Pendant que je suis toute à cette nouvelle...

Mon cœur est avec les parents des enfants qui décèdent d'une bactérie ayant contaminé l'eau potable d'une ville ontarienne. Va-t-il falloir que je sois désormais vigilante quant à l'eau qui sort de mon robinet ? Je n'en suis pas moins touchée par les habitants d'une autre localité qui font des pieds et des mains pour empêcher cette même province de venir enfouir ses déchets sur leur territoire. La planète entière sera-t-elle un jour un vaste dépotoir ?

Pendant que je suis toute à cette nouvelle...

Je suis de plus en plus consciente que la surconsommation débridée augmente d'autant l'inutile objet polluant. Quand donc va-t-on comprendre que la compensation matérielle n'est pas la solution au vide intérieur ? Le recyclage, solution de rechange à cette surconsommation, me semble bien lent à devenir une priorité pour tous. Pourquoi ne pas, tout simplement, moins consommer ?

Pendant que je suis toute à cette nouvelle...

Les gaz à effet de serre ont, par leur impact incontournable sur le réchauffement de la planète, transformé mon trop court été en un gris automne. À quoi ressembleront les saisons futures ? J'apprends qu'une énorme tempête a fait complètement disparaître une plage côtière canadienne et que l'homme s'apprête à la reconstituer pour le bonheur des plaisanciers et des touristes. Verra-t-il le vide qu'il créera ailleurs en entreprenant cette action ?

Pendant que je suis toute à cette nouvelle...

Je suis estomaquée d'apprendre que les OGM, qui contiennent subtilement des pesticides cancérigènes, sont cause de la diminution des spermatozoïdes chez les mâles de notre planète. D'autant plus estomaquée que ces mêmes pesticides bourrés d'hormones féminines provoquent l'hermaphrodisme chez les crocodiles de la Floride. Et l'homme, et la femme et l'enfant, à quoi ressembleront-ils dans quelques années ? Notre humanité tout entière est-elle sur la voie d'une mutation chimique ?

Pendant que je suis toute à cette nouvelle...

Je réfléchis au sort de la planète. Je réfléchis à la sauvegarde de celle-ci. Je réfléchis à notre devenir et à celui de nos enfants et de nos petits-enfants. Je réfléchis surtout à... mon impuissance.

Mais où étais-je tout ce temps ? Il me semble que je reviens sur terre. « *Tu étais à te guérir, Catherine. Sois réaliste, tu ne peux tout faire en même temps.* » Ah oui ! j'étais à me guérir. Maintenant que je suis guérie... « *Wo ! attends une minute. Ta rémission commence, tes globules blancs sont au plus bas, ménage tes transports. Tu dois continuer ta guérison.* » Tu as raison pour l'action, mais je n'en suis pas moins aux prises avec ce sentiment d'impuissance. J'ai besoin d'être la « Une » participante dans cet état d'interdépendance que je ressens. Je veux que cette deuxième vie ait un sens. Je n'ai plus de temps à perdre. Heureusement, je peux réfléchir en attendant l'action. « *Pour réfléchir, je suis d'accord. D'autant plus que je ne pourrai jamais t'empêcher de le faire. Vaut mieux être plus près que trop loin, quand il est question de tes emportements et de tes idées. Allez, vas-y, fais-nous part de ta réflexion.* »

Bon. Partons d'un premier constat : j'ai participé à l'arrivée de cette maladie dans mon organisme. « *D'accord, mais pas de culpabilité, hein ?* » Non, laisse-moi élaborer et tu verras. Deuxième constat : j'ai participé à l'arrivée de la guérison. « *Je préférerais que tu dises rémission. Crois-moi, si tu emploies le mot rémission, ça va t'aider à rester plus tranquille pour l'instant.* » Hum ! va pour rémission ! Merci de ta remarque, je crois qu'elle est pertinente. Je continue. Troisième constat : à un moment donné, le mouvement de destruction enclenché dans mes cellules s'est inversé en mouvement de reconstruction. Tu me suis ? « *Je te suis.* » Alors, compte tenu de ma participation à l'arrivée et au départ de la maladie, je peux affirmer que j'ai aussi participé à l'inversion du mouvement de destruction en reconstruction. *« Cela va de soi. »*

Alors, voilà mon idée. Je crois que si j'ai réussi cela, on peut utiliser la même méthode pour guérir la terre. *« Là, par contre, je te suis moins. J'ai besoin d'explications. »* La planète est malade. Pourquoi crois-tu que, depuis plusieurs années, la planète entière soit atteinte de *cataclysmite aiguë ?* Parce que verglas, avalanches, coulées de boue, inondations, raz-de-marée, tornades, éruptions volcaniques, ouragans, tous aussi démesurés les uns que les autres, sont les cris de désespoir de la terre qui ne sait plus comment nous faire savoir que rien ne va plus ! Elle nous crie sur tous les tons qu'elle en a marre de ce qu'on lui fait subir. Elle crie qu'elle est épuisée, qu'elle n'en peut plus et que ça ne peut plus durer ainsi. *« On croirait réentendre ton discours des premiers chapitres. »*

C'est justement ce que je veux te faire comprendre. La terre est là où moi j'étais, il y a trois ans. Elle est au bord de la crise de nerfs. Elle est surmenée, malmenée, en perte de ressources. Elle ne sait plus sur qui compter. De là à se demander si elle a le goût de vivre, il n'y a qu'un pas. Je suis sûre que si elle pouvait parler, elle répondrait : « Dans les conditions actuelles ? Franchement, non. » Quand on sait que la situation n'ira pas nécessairement en s'améliorant, on est encore plus poussé à réagir. Bougeons avant qu'il soit trop tard. Permettons à la terre d'inverser le mouvement de destruction que l'homme a enclenché. Trouvons les moyens de l'aider à y parvenir. *« Tu as totalement raison. Permets-moi une remarque, cependant. Qu'est-ce que cela a à voir avec ton envolée du début ? Que viennent faire le microcosme et le macrocosme là-dedans ? »*

Le microcosme vient faire bien des choses. Partons du principe que je suis un microcosme et que la terre est le macrocosme, tenons ensuite pour acquis que la terre est là où j'étais il y a trois ans et établissons qu'aujourd'hui, j'ai renversé la vapeur. Une fois cela acquis, je peux penser que nous parviendrons à guérir la terre en agissant pour elle comme

165

j'ai agi pour moi. C'est à cela que je voulais en venir avec les phrases : « Tout ce qui est en haut est comme tout ce qui est en bas. Tout ce qui est à l'extérieur est comme tout ce qui est à l'intérieur. » « *Pas bête, cette réflexion, mais ça donne quoi dans le concret ?* »

Ça donne l'absolue nécessité de réagir maintenant. L'absolue nécessité de sensibiliser les habitants de la planète au fait que la terre a le cancer. Elle a, comme moi, un cancer de... pollution, d'insecticides et de pesticides. Elle a, comme moi, un cancer de... pas dans ma cour et je me mets la tête dans le sable. Elle a, comme moi, un cancer... incurable dont elle gardera toujours les traces, mais dont nous pouvons arrêter maintenant la progression. Nous sommes devant l'absolue nécessité de nous concentrer totalement sur sa guérison, dès maintenant, car il est minuit moins une. « *Les tenants de la lutte contre la pauvreté, du droit à l'éducation pour tous et pour la paix dans le monde vont crier très fort si on se consacre uniquement à la sauvegarde de la planète.* »

C'est là le drame ! Et c'est là qu'intervient le rapport que je fais entre le Tout et le Un. Je m'explique. Nous percevons les situations et les problèmes indépendamment les uns des autres. Ce qui fait que les tenants de la lutte contre la pauvreté insistent pour que la priorité soit à leur constat d'abord et il en est de même pour toutes les autres actions humanitaires. Je crois que l'on fait fausse route en ne regardant pas le Tout planétaire d'abord. La relation que je fais entre mon corps et la terre est très utile pour élaborer mon concept.

Quand j'ai appris que mon corps était malade, j'ai tenté de tout arrêter afin de prendre le recul nécessaire à la meilleure intervention. C'est le corps qui était malade, c'était donc sur le corps qu'il fallait d'abord agir. Je me suis posé des questions sur la maladie et les traitements suggérés, j'ai réfléchi, j'ai consulté et j'ai pris des décisions éclairées quant aux actions à entreprendre. C'est avec les traitements de guérison du corps que se sont enclenchées toutes les autres actions et réactions. Particulièrement celle relative aux émotions et au grand ménage qui en a découlé. Ce même grand ménage a provoqué un changement radical de mes valeurs. Ce changement de valeurs a amené une nouvelle façon de voir et de penser. Cette nouvelle façon de voir et de penser a fait émerger la conscience de mon rôle en tant qu'humaine, Une interdépendante des autres humains sur ce Tout qu'est la terre. Je crois sincèrement que l'on peut faire la transposition de moi-microcosme, à la terre-macrocosme.

En clair, cela veut dire que la première intervention serait d'arrêter toute action, pour se donner, tous pays confondus, le temps d'une réflexion. Nous ne sommes pas à l'ère des communications sans frontières pour rien ! Une action physique concertée, quant au grand ménage de la planète, s'ensuivrait. Nous ne sommes pas à l'ère des savants développements technologiques pour rien ! Ce grand ménage, visible et tangible, sensibiliserait chacun de nous, provoquant par là un changement des valeurs en profondeur. Ce chambardement aurait comme effet une nouvelle façon de voir et de penser, qui elle-même influencerait la conscience individuelle, sociale et planétaire sur le rôle que chacun peut jouer dans cet interdépendant Tout qu'il habite.

Je suis persuadée que ce n'est que quand tous les pays — nous ne sommes pas à l'ère de la mondialisation pour rien — auront ensemble travaillé à l'inversion du mouvement de destruction de la terre, que s'enclencheront toutes les autres actions vis-à-vis de la misère, de la guerre, de l'analphabétisation et de la maladie, par exemple. Cela, tout simplement parce que ces mouvements humanitaires découleront automatiquement du changement profond des valeurs et des façons de voir et de penser de chaque individu dans chacune des sociétés, dans chacun des organismes et des pays dont ils font partie. *« Je comprends très bien ta pensée. Mais ne crois-tu pas que cela soit pure utopie ? »* Non, je ne crois pas. Ça n'est ni utopie ni irréalisme. C'est justement parce que beaucoup s'abritent derrière ces termes, depuis trop longtemps d'ailleurs, que rien ne se fait.

Cette première démarche de réflexion et de décision appartient aux têtes dirigeantes de chacun des pays qui constituent la planète. Il existe déjà un organisme, l'ONU, au sein duquel cette réflexion pourrait se faire, mais encore faut-il que tous soient persuadés du bien-fondé de cette politique écologique mondiale. Malheureusement, je crois que c'est là où le bât peut blesser.

Les États-Unis constituent le seul pays qui a une influence marquante sur le reste du monde et, justement, il se trouve que c'est un pays qui n'affiche pas nécessairement une pensée à long terme. Ce pays a comme Dieu l'argent et comme *modus vivendi* la productivité. Ce pays est, à l'image de beaucoup de ses habitants, obèse et boulimique... Vous savez, tout ce qui est à l'extérieur est comme tout ce qui est à l'intérieur, en voilà un bel exemple ! Par le fait même, ce pays serait-il capable de quelque discipline et de quelque sacrifice que ce soit, qu'impliquerait une politique écologique mondiale ? J'aimerais tellement me tromper, mais j'ai bien peur que cela ne soit que triste réalité. *« Heureusement que tu aimerais te tromper, parce que je croirais qu'il y a là préjugés vis-à-vis de la nation américaine. »* Disons que cette réalité que je perçois est le fruit de mes observations et de mes réflexions et j'ose les affirmer parce que je les crois vraies. Je crois qu'il y a quand même des solutions.

Pensons, par exemple, aux pays dont les cultures sont plus anciennes, aux pays d'Europe, par exemple ; ils sont, je crois, capables de réfléchir en pensant aux générations futures. En plus, ils sont à l'ère de la mise en commun de leurs intérêts ; on n'a qu'à penser à cette formation de la Communauté européenne pour croire qu'ils feraient peut-être un poids appréciable dans la balance des idées et de la réflexion. Ayant un intérêt commun pour l'élaboration prioritaire d'une politique écologique européenne, ils influenceraient par cela même l'élaboration d'une politique écologique mondiale. Vous voyez bien là l'interdépendance dont je parle depuis le début. D'ailleurs, tous les organismes qui ont tribune publique devraient dès maintenant se mettre à l'élaboration d'une politique écologique relative à leurs rôles dans l'environnement qui leur est propre. Qu'ils soient scientifique, politique, artistique, médical ou syndical par exemple, ces milieux doivent être sensibles à l'écologie de leur environnement et actifs sur le plan de la sauvegarde de la planète. Je suis persuadée que chacun d'eux aurait un effet d'entraînement sur leurs voisins et ainsi de suite sur la politique écologique mondiale. *« C'est, en effet, une solution. Mais toi, y peux-tu quelque chose ? À quelles actions peux-tu participer ? Quelles actions peux-tu entreprendre ? Comment transformer ton sentiment d'impuissance en pouvoir d'agir ? »*

J'ai ma petite idée là-dessus. Je crois sincèrement que je peux être une humble, mais non moins importante, participante dans le mouvement de sauvegarde de la planète. On sait que ma façon de voir et de penser a changé et que cela m'a amenée à mieux comprendre l'importance de l'Une interdépendante que je suis et du rôle que j'ai à jouer pour le Tout. Eh bien, comme je ne peux agir en tant que Tout, je dois regarder comment je peux agir en tant que Une.

Imagine l'impact que cela aurait sur la terre entière si chaque être humain se mettait à agir en tant que Un, dans sa propre cour, dans son propre milieu et dans son propre environnement avec la même philosophie de base... Tout pour la sauvegarde de la planète. Imagine-le, car cela peut réussir. Comment ? En changeant tout simplement de point de vue. Je dois me placer du point de vue du « je », plutôt que du point de vue du « nous ». Je dois m'approprier le Tout comme une partie de moi-même. Je ne dois pas attendre que la terre entière pense comme moi pour agir. Je ne dois pas penser que le pouvoir central devrait me dire comment faire pour agir. Je dois agir en songeant à l'inévitable interdépendance, qui permettra à mon action d'avoir nécessairement un impact sur le voisin, qui lui-même aura un impact sur l'autre voisin et ainsi

de suite, de façon exponentielle et pyramidale, jusqu'à péné-
trer de... l'intérieur, l'humanité tout entière pour un résultat...
extérieur. *« Je comprends le concept, mais si tu nous donnais un
exemple concret, il me semble que ce serait plus simple. »*

Alors, alors. Partons du rôle que je sais pouvoir jouer
adéquatement. Je me sais un talent de communicatrice. Je
me sais aussi un talent d'éveilleur de conscience.

Compte tenu de ces deux postulats, le fait d'écrire ces mots
aujourd'hui me permet d'espérer en influencer quelques-uns,
qui influenceront eux-mêmes quelques autres, et ainsi de suite.
Tu comprends ?

Compte tenu de ces mêmes postulats, « je » décide, en tant
que Une, d'utiliser toutes les tribunes, écrites, parlées, électro-
niques, et toutes celles que « je » pourrais imaginer et qui « me »
seront offertes, pour déclarer mon serment d'allégeance à la
terre. J'ai dit oui à la vie, « je » dis maintenant oui à la sauvegarde de ma planète.

Compte tenu que la terre de demain sera gérée par nos
enfants d'aujourd'hui, je crois qu'entreprendre une action de
sensibilisation auprès des jeunes et des adolescents serait de
mise. « Je » décide donc, en tant que Une, de participer à cette
sensibilisation en commençant par « mes » enfants et « mes »
petits-enfants, qui eux-mêmes influenceront leurs voisins et
amis, qui eux-mêmes, etc.

Compte tenu des ateliers que je donne, « je » décide, en
tant que Une, d'organiser dans « mon » milieu des activités
de plein air ayant pour thème la sauvegarde de la planète.

Compte tenu de l'artiste peintre que je suis, « je » décide,
en tant que Une, d'utiliser mon art comme véhicule de « ma »
terre à sauver.

Compte tenu de ma conscience de la surconsommation
planétaire, « je » décide, en tant que Une, de faire l'exercice
de l'essentiel et du durable, en lieu et place du jetable et de
l'inutile objet.

Compte tenu de la diminution de « mes » besoins, effet secondaire de la maladie, « je » décide, en tant que Une, de tenter l'expérience de la simplicité volontaire, diminuant par là même la surconsommation.

Imagine l'effet domino que nous pourrions constater si chaque individu qui lit ce livre faisait l'exercice d'agir dans son milieu, en tant que Un, unique et spécifique qu'il est, au nom de sa terre à sauver. *« En effet, j'imagine. Mais... pardonne-moi ce mais... mais je crois encore que tu t'en demandes beaucoup. »*

Je ne m'en demande pas plus que l'agriculteur qui décide de cultiver biologiquement ; il cultive quand même, mais autrement. En prime, il améliore sa propre qualité de vie et donne l'exemple. Je ne m'en demande pas plus que la personne qui opte pour une alimentation sans additifs chimiques ; elle mange quand même, mais avec la conscience de la qualité de la nourriture qu'elle ingère et elle donne l'exemple. Je ne m'en demande pas plus que le chanteur qui pleure l'oiseau disparu ; il chante quand même, mais en disant les vraies choses et il donne l'exemple. Je ne m'en demande pas plus que le cinéaste qui crie au désespoir de voir sa terre dévastée ; il fait quand même des films, mais il montre les vraies images et il donne l'exemple. Je ne m'en demande pas plus que le Québécois Albert Nantel, qui, à titre de scientifique, est depuis les 30 dernières années de tous les combats écologiques ; il a fait ses recherches quand même, mais toujours avec une préoccupation écologique et il a donné l'exemple. Je ne m'en demande pas plus que tous les individus qui ont joint les rangs de Greenpeace ; ils sont militants dans l'âme, alors ils militent quand même, mais au service de la cause du siècle et ils donnent l'exemple. Je ne m'en demande pas plus que les politiciens engagés qui travaillent au développement durable de la planète ; ils font quand même de la politique, mais pour la cause du siècle et ils donnent l'exemple. Comme tu vois, on fait la même action, on joue le même rôle, on continue à vivre, quoi ! Ce qui change, c'est la vision. Ma vision a changé, elle est désormais : plus de course à leur rentabilité ni de folle consommation, tout simplement *ma* vie à vivre et *ma* terre à sauver.

Je ne suis pas seule à penser ainsi et à faire serment d'allégeance à la terre. Nous sommes nombreux, aux quatre coins du monde, à crier AU SECOURS ! au nom de notre planète. Il faut augmenter ce nombre afin qu'il atteigne la masse critique nécessaire à faire le poids dans la balance. Agissons en aimant la terre qui nous abrite et nous nourrit. Agissons pour les générations futures. Agissons en croyant en nous et à notre force du Un. Ces milliers de Un agissant efficacement influenceront le Tout un jour, j'en suis persuadée. Nous entreprenons la croisade du XXIe siècle, sans nul doute aussi la croisade du millénaire. Soyez des nôtres, afin de léguer une terre d'abondance à nos enfants. *« Je n'ai pas grand-chose à rajouter à cela, si ce n'est que je suis avec toi de tout cœur. Faisons ce bout de chemin ensemble. »*

À la bonne heure ! Je savais que je ne serais plus jamais seule. Mais, j'y pense, sais-tu que toi et moi, ça fait deux, on est déjà un Tout... C'est merveilleux !

* * *

Je ne vous ai pas raconté de rêves dans ce chapitre. J'ai tout simplement fait un rêve éveillé devant vous. Ce rêve, à l'instar de mes autres rêves, m'amènera à reconnaître ce moi-même que je commence enfin à aimer. Il me poussera à vivre mon destin en interdépendance avec le vôtre... ne vous en déplaise ! Je dis oui à *ma* vie à vivre et à *ma* terre à sauver. Par cela et pour cela, j'affirme que je suis... **PLUS QUE JAMAIS VIVANTE.**

ÉPILOGUE

Rêve des années 1970, 1980 et 1990

Pendant toutes ces décennies, je suis allée de nombreuses fois passer mes vacances d'été au bord de la mer... américaine le plus souvent.

Pendant toutes ces années, j'ai imaginé les auteurs écrivant leurs livres, leurs pièces de théâtre, leurs ballades ou leurs symphonies avec une imprenable vue sur la mer. Si j'ai osé les imaginer ainsi, c'est parce qu'ils ont tous témoigné de l'inspiration et de la quiétude que la mer leur procurait.

Pendant toutes ces années, je n'ai cessé de rêver au jour où je serais, moi aussi, privilégiée au point de pouvoir écrire avec vue sur la mer. Il me semblait qu'il y avait là l'expression même du bonheur.

Voilà qu'à 54 ans, mon rêve s'est réalisé.

C'est, pour ainsi dire, les deux pieds dans le fleuve Saint-Laurent que j'ai rédigé ce voyage intérieur. Quel magnifique cadeau me suis-je offert !

Je vis maintenant dans une forme de simplicité volontaire, directement branchée sur la nature et sur la Source d'abondance.

Quelle Source d'abondance ? me demanderez-vous.

Je vous répondrai que la Source d'abondance est une histoire à suivre...

NOTE DE L'AUTEURE

La façon dont les rêves sont analysés dans ce livre ne relève pas d'une approche scientifique, mais plutôt d'une approche intuitive. C'est la méthode que j'ai toujours privilégiée dans mes ateliers d'analyse de rêves, car c'est celle qui remet le plus entre les mains du rêveur le réel pouvoir de l'analyse. En effet, chaque symbole qui se présente au rêveur est issu de son bagage personnel, lui-même issu de son éducation, de sa religion, de sa culture, de sa nationalité, de sa société, de son métier, bref de son vécu...

Pour connaître son monde onirique, celui-ci n'a donc besoin que de maîtriser cette approche, que d'apprivoiser son propre code symbolique et que de s'y entraîner sans relâche. Évidemment, pour ce faire, il doit aussi se rappeler ses rêves! C'est possible, croyez-moi, tout le monde rêve. Vous aussi.

En prime, cette méthode amène le rêveur à développer grandement son intuition et sa confiance en soi, ce qui n'est pas à dédaigner.

Pour de plus amples informations sur les rêves, les ateliers d'analyse de rêves et les consultations données par Catherine Jalbert, écrivez à :

C. P. 295, Rimouski (Québec) G5L 7C1 ou à :
cjalbert_reves@hotmail.com

BIBLIOGRAPHIE

BÉGIN, G. « Des monstres dans nos étangs », *Québec SCIENCE,* Montréal, volume 39, n° 2, octobre 2000.

CHOPRA, Dr D. *Esprit éternel et corps sans âge,* Montréal, Stanké, 1996.

COELHO, P. *L'alchimiste,* Paris, A. Carrière, 1994.

KEATING, K. *The Hug Therapy Book,* tomes 1 et 2, Minneapolis, CompCare Publishers, 1987.

REDFIELD, J. *La Prophétie des Andes,* Paris, Robert Laffont, 1994.

REDFIELD, J. *La dixième révélation de la Prophétie des Andes,* Paris, Robert Laffont, 1996.

SIMONTON, Dr C. *L'aventure d'une guérison,* Paris, Belfond, 1993.

WALSH, N. D. *Conversation avec Dieu,* tomes I et II, Outremont, Ariane Éditions inc., 1997.

WALSH, N. D. *Conversation avec Dieu,* tome III, Outremont, Ariane Éditions inc., 1999.

WHITWORT, E. E. *Les neuf visages du Christ,* Outremont, Ariane Publications et Distributions ; Varennes, Les Éditions l'Art de s'Apprivoiser, 1996.

TABLE DES MATIÈRES